LES GRAMINÉES

Données de catalogage avant publication (Canada)

Barone, Sandra
Les graminées: au jardin et dans la maison

1. Graminées d'ornement. 2. Aménagement paysager. 3. Graminées d'ornement - Amérique du Nord. I. Oehmichen, Friedrich. II. Titre.

SB431.7.B37 2001 635.9'349 C2001-940392-5

Conception graphique : Anne Bérubé
Infographie : Johanne Lemay
Traitement des images : Mélanie Sabourin
Illustrations : Michel Fleury
Révision et correction : Céline Bouchard et Nicole Raymond

DISTRIBUTEURS EXCLUSIFS :

- Pour le Canada et les États-Unis :
  MESSAGERIES ADP*
  955, rue Amherst
  Montréal, Québec
  H2L 3K4
  Tél. : (514) 523-1182
  Télécopieur : (514) 939-0406
  * Filiale de Sogides ltée

- Pour la France et les autres pays :
  HAVAS SERVICES
  Immeuble Paryseine, 3, Allée de la Seine
  94854 Ivry Cedex
  Tél. : 01 49 59 11 89/91
  Télécopieur : 01 49 59 11 96
  Commandes : Tél. : 02 38 32 71 00
  Télécopieur : 02 38 32 71 28

- Pour la Suisse :
  DIFFUSION : HAVAS SERVICES SUISSE
  Case postale 69 - 1701 Fribourg - Suisse
  Tél. : (41-26) 460-80-60
  Télécopieur : (41-26) 460-80-68
  Internet : www.havas.ch
  Email : office@havas.ch
  DISTRIBUTION : OLF SA
  Z.I. 3, Corminbœuf
  Case postale 1061
  CH-1701 FRIBOURG
  Commandes : Tél. : (41-26) 467-53-33
  Télécopieur : (41-26) 467-54-66

- Pour la Belgique et le Luxembourg :
  PRESSES DE BELGIQUE S.A.
  Boulevard de l'Europe 117
  B-1301 Wavre
  Tél. : (010) 42-03-20
  Télécopieur : (010) 41-20-24

Pour en savoir davantage sur nos publications,
visitez notre site : **www.edhomme.com**
Autres sites à visiter : www.edjour.com • www.edtypo.com
www.edvlb.com • www.edhexagone.com • www.edutilis.com

Dépôt légal : 2e trimestre 2001
Bibliothèque nationale du Québec

ISBN 2-7619-1610-7

L'Éditeur bénéficie du soutien de la Société de développement des entreprises culturelles du Québec pour son programme d'édition.

Nous reconnaissons l'aide financière du gouvernement du Canada par l'entremise du Programme d'aide au développement de l'industrie de l'édition (PADIÉ) pour nos activités d'édition.

Sandra Barone
Friedrich Oehmichen

Les Graminées

Au jardin et dans la maison

Les Éditions de L'Homme

À Ivo, Christina et Galícia.

REMERCIEMENTS

Ce livre est le fruit de nos expériences, ainsi que le résultat de longues années de recherches et d'échanges. Il serait donc impossible de remercier individuellement tous ceux qui nous ont stimulés directement ou indirectement et qui nous ont soutenus dans notre cheminement. Nous tenons cependant à remercier tout spécialement les personnes suivantes : M. Roger van den Hende, éminent horticulteur au Québec, qui nous a laissé la pépinière en 1983 toute équipée et prête pour que nous puissions commencer à travailler.

Un merci très spécial à Wolfgang Oehme, un collègue et ami, initiateur du mouvement pour la découverte des graminées aux États-Unis, et qui, avec Kurt Blumel, n'a pas cessé de nous stimuler et de nous encourager dans notre aventure horticole avec ces plantes nouvelles. Un grand merci à Michel-André Otis, horticulteur du Jardin botanique de Montréal, pour sa révision minutieuse de la section sur les carex. Nous voudrions également remercier tous ceux et celles qui ont, en tant que stagiaires ou employés, collaboré avec enthousiasme au développement de la pépinière Oka Fleurs durant toutes ces années. Enfin, merci à nos clients, et à nos amis, collègues et étudiants qui ont tous encouragé nos folies avec les graminées, une passion horticole que nous aimerions partager avec vous, cher lecteur.

La fleur de *Miscanthus giganteus*.

INTRODUCTION

Au début, il s'agissait pour nous d'un rêve, d'une image de grande prairie, de champs fleuris avec des plantes aussi hautes que nous; plus hautes, même. Une vraie mer de plantes vivaces, une vaste étendue qui allait, sans interruption, d'un horizon à l'autre. D'innombrables tiges dansant gracieusement sous la brise.

Ce que nous voulions recréer, Sandra et moi, c'était l'image de la « prairie haute » (tall grass prairie) qui couvrait autrefois une grande partie de l'Iowa, de l'Illinois et de l'Indiana, s'étendant au nord jusqu'au Minnesota et au sud sur l'Oklahoma. On retrouvait sans doute au Québec quelques îlots de cette prairie qui s'étirait jusqu'au sud de l'Ontario. Mais cette prairie a été presque entièrement labourée par les colons parce que la terre qu'elle habillait était excellente et facile à cultiver. Aujourd'hui, le maïs et le soja poussent là où croissaient autrefois des herbes tellement hautes que les colons devaient monter sur

Prairie américaine.

Terrasse encadrée par *Calamagrostis acutiflora* 'Karl Foerster' (Calamagrostide) pour les Floralies de Montréal, en 1980.

leur cheval pour localiser leur bétail en regardant où les herbes bougeaient. La prairie était si dense que les colons devaient atteler leurs bœufs à un bloc de bois pour qu'en avançant, ceux-ci cassent les tiges hautes pour ouvrir des sentiers d'une maison à l'autre. Ces sentiers étaient le plus souvent des tunnels, les herbes hautes se touchant au-dessus des passants, les obligeant à regarder les fleurs, les herbes et les hampes florales des graminées en regardant vers le haut. Un point de vue inusité, surtout lorsque tout bougeait avec la brise qui sifflait à travers les tiges.

Il ne reste presque rien de cette merveilleuse prairie, hormis les descriptions euphoriques des explorateurs et des botanistes. Heureusement, les plantes ont survécu en lisières, le long des chemins de fer, près des chemins de campagne ou autour des clôtures et des murs. Nous avons commencé à réaliser notre rêve d'architectes paysagistes en nous inspirant de ces images de la prairie. Dessiner des champs qui bougent avec ces hampes et ces fleurs qui se touchent par-dessus les gens, recréer la sensation des grands espaces, mettre en valeur la richesse d'une végétation perdue,

Panicum virgatum 'Strictum' (Panic raide) avec *Rudbeckia fulgida* var. *deamii* (Rudbeckia).

bref, traduire toutes ces sensations à l'échelle d'un jardin ou d'un parc, voilà ce que nous voulions faire.

Quand nous avons voulu faire de ce rêve une réalité, il y a plus de 20 ans, les graminées hautes n'étaient pas encore offertes sur le marché horticole au Québec, on ne trouvait que les petites fétuques et l'avena ou herbe bleue. La première étape a été de sélectionner et de bâtir la collection en cherchant aux États-Unis et en Europe les plantes que nous voulions. Afin de pouvoir examiner les graminées et apprécier leur taille, leur rusticité, leur couleur et leur valeur horticole, nous avons acheté une pépinière. Elle appartenait au grand horticulteur Roger van den Henden, fondateur du Jardin botanique de Québec qui porte son nom. Il y élevait différentes azalées et quelques vivaces.

Deschampsia caespitosa (Deschampsie) en novembre.

L'éclat des couleurs à l'automne devant notre maison.

Le tunnel de graminées.

C'est alors que nous avons commencé une collection de graminées constituée d'espèces hautes auxquelles nous en avons ajouté de plus petites. Nous les avons cultivées pendant quelques années afin de vérifier quelles étaient celles qui s'adaptaient à notre climat et qui étaient aussi intéressantes pour nos aménagements.

Pour les Floralies internationales de Montréal, en 1980, nous avons réalisé un petit aménagement entourant un étang à l'aide de graminées ornementales sur le site du Jardin de la Ville de Laval. Mais pour pouvoir mieux explorer tout le charme des graminées, il fallait que nous soyons capables de marcher au milieu des herbes ou, mieux, de passer en dessous, de les sentir et de les toucher, d'entendre le vent siffler entre les tiges. Pour réaliser cette expérience sensorielle, nous avons choisi un site dans la pépinière. Nous avons sélectionné des variétés assez hautes, nous les avons plantées en deux rangées parallèles assez proches les unes des autres pour qu'elles se referment au-dessus des passants afin de créer un effet de tunnel. Ce tunnel s'est avéré un succès et une source d'inspiration pour d'autres aménagements. Entre-temps, la collection des graminées ornementales grandissait dans notre pépinière et un nombre appréciable d'espèces et de variétés de graminées rustiques et bien adaptées à notre climat sont maintenant offertes au Québec.

LES GRAMINÉES ORNEMENTALES

La grâce et l'élégance des graminées et des plantes graminiformes font de ce groupe de plantes l'un des plus intéressants parmi les vivaces à valeur ornementale. Ce n'est que dans les années 1980 qu'un certain nombre de graminées furent introduites sur le marché horticole québécois et elles restent des plantes méconnues. Mais leur beauté et leur diversité suscitent actuellement un engouement remarquable en Amérique du Nord. Les espèces et les variétés offertes ne cessent de s'accroître et elles sont toutes plus belles les unes que les autres.

Bien avant que ces plantes ne soient perçues comme possédant une certaine valeur ornementale, on leur accorda une extrême importance en raison de leur valeur alimentaire. Le blé a joué et jouera un grand rôle auprès de l'humanité, tout comme le maïs, le riz, l'avoine, le millet, l'orge et la canne à sucre, qui sont également des graminées. Le papyrus (duquel on fabriquait le papier utilisé par les Égyptiens) a été d'une grande utilité dans la vie quotidienne de l'humanité et le bambou (mobilier, échafaudage) l'est encore de nos jours, comme on a pu le constater en 1990 lors des travaux de construction du Jardin chinois au Jardin botanique de Montréal.

Le mystère de la rosée du matin : *Molinia* (Molinie) en arrière et *Pennisetum* en avant.

Jardin de graminées sur un toit à côté de la tour du CN à Toronto.

Jardin public avec *Helictotrichon sempervirens* (Herbe bleue) et *Panicum virgatum* 'Squaw' (Panic raide).

Jardin de graminées au parc Marie-Victorin.

Page de droite : la beauté sans fleurs.

Ce livre se propose de faire connaître les graminées ornementales à tous les amateurs et professionnels de la création de jardins attirés par ces plantes spectaculaires. Il illustre notre fascination pour ce groupe de plantes et montre comment intégrer les graminées au jardin. Il rend compte de notre expérience d'architectes paysagistes et vous invite à découvrir ce groupe de plantes unique et à en exploiter les nombreuses qualités.

Un bref aperçu botanique au premier chapitre, suivi d'une description de la culture des graminées au deuxième chapitre, permettront de mieux comprendre ces plantes. Le jardinier pourra ensuite les utiliser en toute aisance. Les troisième et quatrième chapitres ont pour but d'initier le lecteur à l'utilisation des graminées dans la composition des jardins tandis que le cinquième est consacré à la culture des

La partie basse et humide du terrain aux abords d'un étang aménagé avec *Rudbeckia s.* 'Goldsturm' (Rudbeckia), *Physostegia virginiana* (Physostégie) et *Molinia a.* 'Skyracer' (Molinie).

Dans un sol sec et pauvre, *Festuca amethystina* 'Solling' est la seule fétuque qui ne fleurit pas.

graminées dans la prairie et les grands espaces. Quant au dernier chapitre, il donne des indications sur l'art de faire des bouquets en utilisant les graminées. Vous trouverez en annexe un répertoire des plantes offertes dans le commerce suivi d'un guide d'utilisation des graminées.

La diversité des graminées ornementales est si grande qu'il est possible de trouver des variétés pour toutes les situations : les jardins d'ombre et les sous-bois, les jardins ensoleillés secs ou humides, les rocailles et les aménagements situés au bord de l'eau, les jardins pour les oiseaux et pour les fleurs coupées, ou tout simplement comme complément à un jardin de fleurs vivaces.

La fontaine verte de *Molinia a.* 'Skyracer' (Molinie géante) jaillissant d'un tapis d'hémérocalles.

Jeux de texture avec *Carex muskingumensis* (Laîche à feuilles de palmier) à droite, deux *Miscanthus s.* 'Gracillimus' (Roseau de Chine), *Aralia elata* (Aralie du Japon) en haut et *Chelone obliqua* (Galane) en fleurs à gauche.

Helictotrichon sempervirens (Herbe bleue) utilisé comme couvre-sol.

Calamagrostis acutiflora 'Overdam' (Calamagrostide) au parc Marie-Victorin.

L'automne dans un jardin de graminées composé de gauche à droite de *Miscanthus s.* 'Kleine Fontäne' (Roseau de Chine), de *Calamagrostis a.* 'Karl Foerster' (Calamagrostide) et de *Deschampsia c.* 'Goldgehänge' (Deschampsie).

L'ambiance féerique du petit matin créée par les différentes variétés de molinies.

Le teint bleuté du feuillage de *Festuca glauca* (Fétuque) est admirable.

Sesleria autumnalis (Seslérie) à la fin de l'été.

Cette diversité est marquée dans tous les aspects de la plante : hauteur, forme et couleur du feuillage et des fleurs. La hauteur des plantes peut varier de naine à géante (de 15 cm à plus de 250 cm et plus), ce qui permet de les utiliser en guise de couvre-sol, en spécimens isolés comme plantes vedettes ou point focal, ou encore en massifs comme écran visuel. La forme varie également ; une graminée peut être rampante, retombante ou érigée. La texture fine des feuilles des graminées constitue un de leurs principaux attraits. L'élégance et la légèreté du feuillage de ces

Le feu de *Miscanthus purpurascens* (Roseau) en automne.

plantes leur permettent de se marier parfaitement aux nombreuses fleurs vivaces, arbustes feuillus et conifères. La tonalité des couleurs de leur feuillage et de leur inflorescence varie du vert bleuté au vert jaunâtre, du vert clair au vert très foncé en passant par le vert pourpre ou rouge, le vert clair mélangé au blanc ivoire, ou encore le jaune doré des espèces marginées, les plantes possédant des feuilles à marges de couleurs

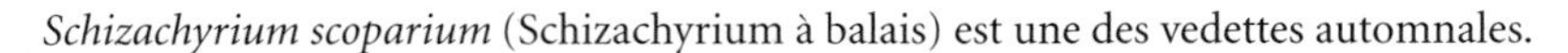

Schizachyrium scoparium (Schizachyrium à balais) est une des vedettes automnales.

Ci-contre : *Panicum virgatum* 'Rotstrahlbusch' (Panic raide).

À droite : Le formidable *Miscanthus s.* 'Undine' en fleurs (Roseau de Chine).

En bas : *Molinia a.* 'Windspiel' (Molinie) domine la scène au petit matin.

différentes. Le feuillage des graminées peut être persistant et rester vert tout l'hiver comme chez différentes *Luzula, Carex* et *Festuca.* D'autres, au feuillage non persistant, sèchent à l'automne, mais pas avant d'adopter une coloration brillante qui pourra être jaune *(Molinia),* orange *(Schyzachirium scoparium)* ou pourpre *(Miscanthus purpurascens).*

Les fleurs sont très distinctes les unes des autres ; elles peuvent évoquer l'image d'une brume jaunâtre ou rougeâtre, selon les variétés (*Panicum*), alors que d'autres rappellent des fontaines (*Pennisetum, Molinia, Helictotrichon*). Les espèces géantes s'imposent assurément grâce à leurs fleurs satinées en forme de panaches aux teintes dorées, argentées, rougeâtres et brunâtres (*Miscanthus*).

Nous vous souhaitons la bienvenue dans le merveilleux monde des graminées.

CHAPITRE 1

QU'EST-CE QU'UNE GRAMINÉE ?

De gauche à droite : *Panicum v.* 'Heavy Metal' (Panic raide), *Miscanthus s.* 'Strictus' (Roseau de Chine), *Molinia a.* 'Skyracer' (Molinie), et en avant-plan *Festuca filiformis* (Fétuque à feuilles fines) et *Leymus racemosus* (Élyme).

Sélection de graminées dans la pépinière Oka Fleurs avec *Calamagrostis acutiflora* 'Karl Foerster' (Calamagrostide) à l'arrière et *Deschampsia c.* 'Tardiflora' (Deschampsie) à gauche.

LA FAMILLE DES GRAMINÉES, AVEC SES 9000 ESPÈCES CATALOGUÉES, figure parmi les plus nombreuses du monde végétal. Un vocabulaire spécifique a été élaboré pour identifier et décrire ce groupe particulier de plantes. Certaines plantes graminiformes y sont associées même si elles ne font pas partie de la famille des graminées. Quelques-unes d'entre elles sont apparentées à d'autres familles taxinomiques dont les *Carex* et les *Scirpus*, qui font partie des cypéracées, alors que les *Juncus* et les *Luzula*, qui appartiennent aux joncacées. Ce sont, elles aussi, des familles nombreuses ; les cypéracées comprennent 3 500 espèces et les joncacées 300 espèces[1].

Les graminées sont soit des herbes annuelles accomplissant leur cycle de vie en une année, soit des vivaces pouvant vivre plusieurs années, parfois plus de 100 ans chez quelques espèces. Leur système racinaire est constitué d'un rhizome qui se multiplie par touffes ou sous forme traçante. Dans le premier cas, il s'agit de plantes qui se développent dans une motte plus ou moins circulaire dont la dimension est limitée lorsqu'elle atteint l'âge adulte. Inversement, dans le deuxième cas, les plantes sont plus ou moins envahissantes, nécessitant ainsi de grands espaces pour s'épanouir. Outre ces exceptions, les graminées ornementales poussent comme la plupart des plantes vivaces dites civilisées, c'est-à-dire qu'elles resteront en touffes et grandiront comme n'importe quelle autre vivace.

La famille des graminées est considérée comme étant très évoluée. Sous l'aspect strictement botanique, il s'agit d'un groupe de plantes remarquables par l'extrême spécialisation de tous leurs organes[2]. Elles font partie des plantes phanérogames angiospermes, des plantes caractérisées par des organes à fructification apparente et dont les graines sont enfermées dans les fruits. Les graminées font partie du groupe des monocotylédones dont la caractéristique est qu'elles ne portent qu'une seule feuille dans la plantule de leur graine.

Les graminées ne ressemblent à rien d'autre et il est facile de les reconnaître. Mais la similitude entre les diverses graminées constitue un grand défi pour ceux qui s'aventurent à essayer de les reconnaître[3]. L'identification d'une graminée est principalement basée sur l'observation de ses fleurs. Pour identifier des plantes qui n'ont pas encore fleuri ou dont l'inflorescence a été supprimée, on procédera à l'examen des caractères végétatifs de la plante. Même regardées de près, les graminées sont très semblables. Seule une très petite membrane nommée ligule peut souvent distinguer les plantes les unes des autres. La ligule est le prolongement de la gaine. Elle est située sur la face supérieure des feuilles, exactement à la rencontre de la gaine et du limbe[4].

Le système racinaire des graminées est fibreux et très dense, et les racines de certaines espèces peuvent atteindre plus de 1 m de profondeur. Cela explique l'importance de ces plantes dans le contrôle de l'érosion des sols ainsi que dans la stabilisation des terrains en pente et des terrains situés aux abords de cours d'eau. Par ailleurs, le fait qu'elles aient des racines si longues explique la grande tolérance de certaines espèces à la sécheresse.

Chez les espèces non envahissantes, les tiges forment des touffes denses qui s'agrandissent chaque année, faisant ainsi croître leur diamètre. Les entre-nœuds de leurs rhizomes sont courts, et à chaque nœud naît une ramification qui s'enracinera et deviendra une tige dressée. C'est grâce à cette dynamique que se forme une touffe de tiges à partir d'un seul pied. En revanche, les espèces envahissantes développent des rhizomes traçants avec de longs entre-nœuds semblables à ceux du chiendent, qui pourront former à chaque nœud des tiges aériennes dressées. Ces tiges se ramifient à la base et donnent naissance à de nouveaux rhizomes qui développent quant à eux de nouvelles tiges à chaque nœud, formant ainsi un ensemble continu[5].

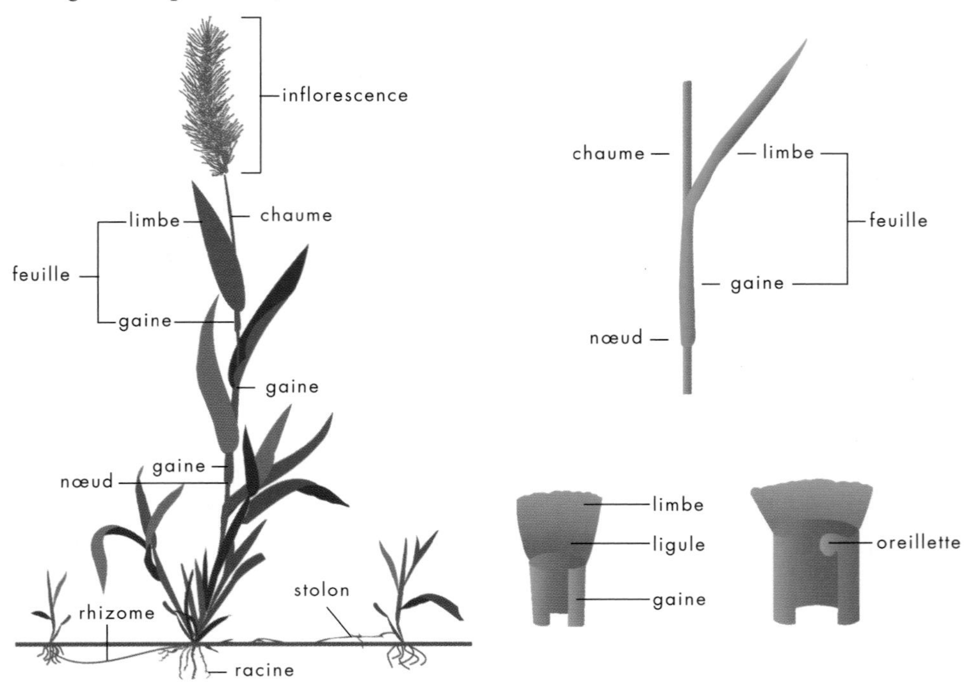

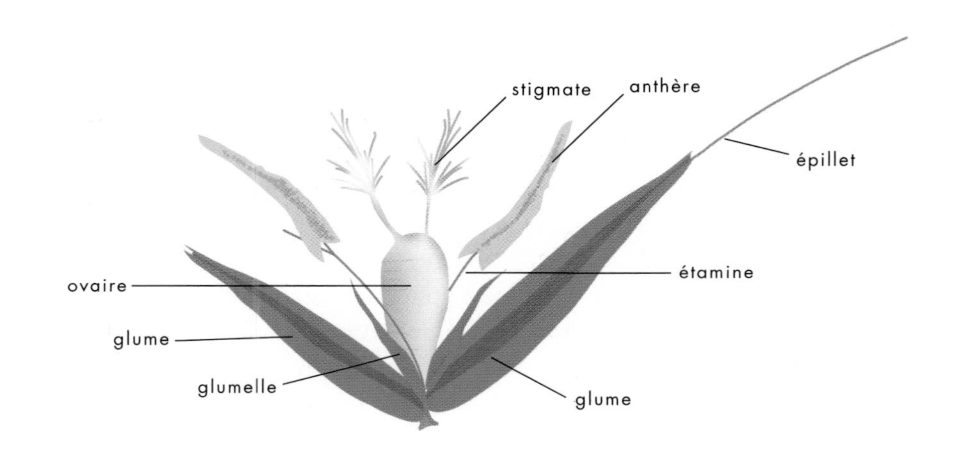
stigmate
anthère
épillet
ovaire
étamine
glume
glumelle
glume

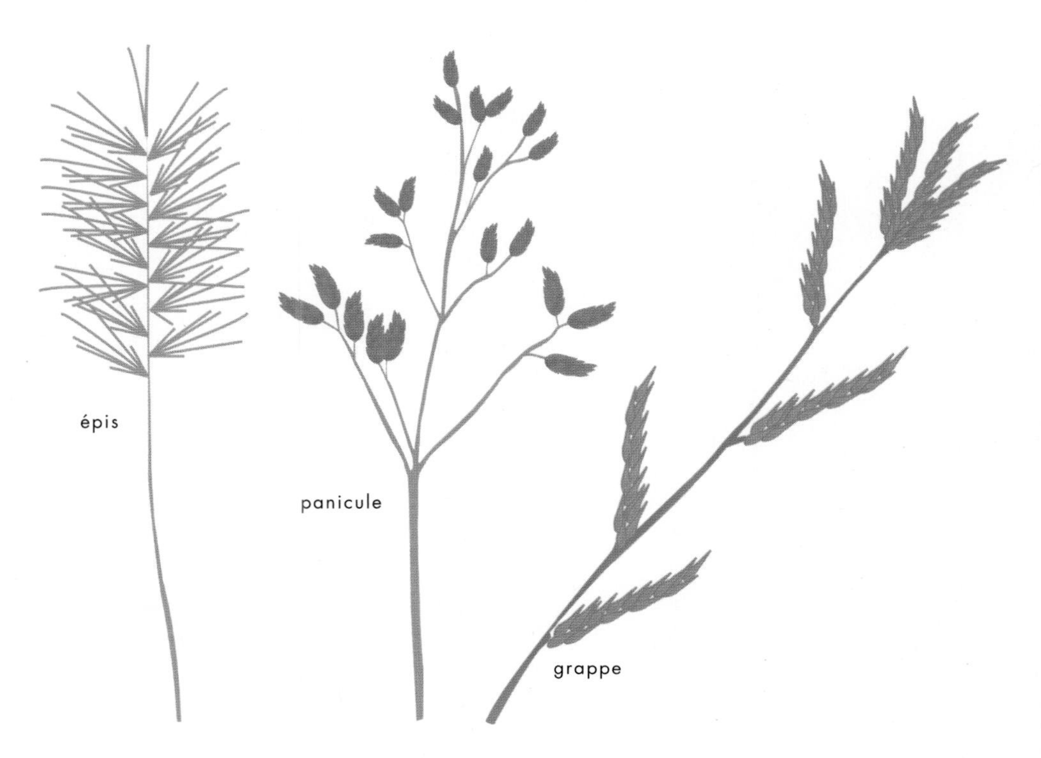
épis
panicule
grappe

Ce dernier type de graminées est excellent pour l'utilisation en massifs et pour assurer la stabilisation des dunes et des talus, ou pour favoriser la revégétalisation de grandes étendues de terrain. Plusieurs graminées gardent leurs bourgeons de régénération à une profondeur telle qu'elles sont capables de résister au feu. C'est le cas pour les plantes des prairies en Amérique du Nord, où les feux font souvent des ravages.

La tige aérienne caractéristique de la famille des graminées porte le nom de « chaume ». Elle est généralement cylindrique et creuse. Sa cavité est interrompue au niveau des nœuds par des joints nommés diaphragmes. Ces derniers sont formés par l'entrecroisement des traces foliaires. Le chaume est ramifié uniquement à sa base et il se termine toujours par une inflorescence[6]. Les chaumes peuvent être verticaux comme ceux de *Miscanthus* (Roseau), pliés à l'endroit du nœud comme ceux de *Panicum* (Panic), ou encore provenir d'un stolon qui croît à l'horizontale sur ou sous la surface du sol et qui s'enracine en donnant naissance à de nouveaux individus. Si le stolon

Détail du feuillage de *Miscanthus s.* 'Malepartus' en automne, avec ses chaumes (tiges) pourpres bien solides.

continue à croître sous le sol en produisant des bourgeons en surface et en faisant pousser des racines à sa partie inférieure, il s'agit d'un rhizome. La reproduction végétative des graminées par leurs rhizomes constitue une méthode de culture presque aussi efficace que celle par semis.

Dans l'aménagement paysager, les graminées ont une grande valeur ornementale grâce à leur feuillage et principalement en raison de son inflorescence.

L'intérêt porté au feuillage d'une graminée est lié à sa taille, à sa longueur, à sa largeur et à la couleur de sa feuille au cours de l'été et à l'automne. Le port, le volume et la texture produite par l'ensemble de son feuillage rendront certaines variétés encore plus attrayantes. Opposées et de forme lancéolée, les feuilles sont composées d'un limbe et d'une gaine. Le limbe est long, rubané et aplati avec des nervures parallèles; la gaine, très développée, forme un étui fendu à l'avant et encerclant complètement la tige sur toute la longueur de l'entre-nœud. Les feuilles couvrent en général toute la tige (*Panicum*). Il y a cependant des exceptions où les nœuds et les feuilles sont limités à la base. Dans ce cas, la tige sera très fine et sans feuilles, et elle pourra atteindre chez quelques variétés une hauteur de 200 cm. C'est le cas des variétés géantes des *Molinia* (Molinie), comme 'Skyracer' et 'Windspiel', qui produisent l'effet d'une fontaine verte en été et d'un feu d'artifice doré à l'automne, tout en créant l'illusion d'un rideau semi-transparent. Il est toujours étonnant de voir ces tiges se pencher et se replier sous la pluie et le vent sans se casser. Admirer ce phénomène permet d'apprécier cette merveille du génie végétal.

Même si les graminées ne possèdent pas de fleurs colorées et spectaculaires comme celles des plantes florifères, leurs inflorescences constituent néanmoins leur principal attrait, aussi bien sous l'aspect visuel que sous l'aspect tac-

Une spectaculaire *Stipa barbata* (Stipe). Elle est âgée de 10 ans.

Miscanthus (Roseau) au début de la fleuraison, avec ses étamines bien visibles.

Miscanthus (Roseau) en fructification alors que chaque graine porte sa chevelure plumeuse.

tile. Mais c'est souvent après la fleuraison, soit au stade de la fructification, que les graminées s'avèrent les plus attirantes. Les graines de plusieurs d'entre elles développent de petites chevelures attrayantes (*Miscanthus*) ou même de longs cheveux (*Stipa*) qui s'envolent avec le vent, donnant à leurs inflorescences une apparence plumeuse argentée souvent spectaculaire. La fleuraison des graminées est visible par l'apparence des stigmates et des anthères. *Miscanthus sinensis* 'Sirene' et 'Malepartus' comptent parmi les plus spectaculaires, avec leurs hampes florales rouge et pourpre qui prennent une apparence plumeuse brillante et touffue lorsque leurs graines ont mûri.

Les fleurs sont groupées en épillets dont l'organisation est une caractéristique de la famille. Les épillets se présentent selon trois types bien distincts. Dans le premier, les épillets sont directement portés sur un axe commun : l'épi (*Pennisetum alopecuroides* et *Melica transsilvanica*)[7]. Dans le deuxième, ils sont portés sur un axe commun légèrement ramifié pour former une grappe (*Glyceria maxima*). Dans le troisième, ils sont portés par des pédoncules ramifiés à plusieurs degrés et forment une panicule (*Deschampsia*). La valeur ornementale de la plante est sans doute fonction de l'élégance, de

Page de droite : aster entouré par *Pennisetum alopecuroides* et *Miscanthus purpurascens* (Roseau).

La beauté des épis du *Pennisetum alopecuroides* 'Hameln' mis en valeur par la rosée du petit matin.

l'ampleur et de la couleur de ses panicules, comme par exemple chez les *Chasmanthium* – (Northern Sea Oats, Wild Oats), *Deschampsia* – Deschampsie – (Tufted Hair Grass), *Miscanthus* – Roseau – (Silver Grass), *Molinia* – Molinie – (Moor Grass) et *Panicum* – Panic raide – (Switch Grass).

Les épillets portent à leur base des bractées infertiles nommées glumes et d'autres, fertiles celles-là, nommées glumelles. Celles-ci portent chacune une fleur à l'aisselle[8]. Au moment où la fleur s'épanouit, deux petites pièces, les glumellules, se gonflent, contribuant ainsi à écarter les glumelles, ce qui permet la sortie des anthères et des stigmates. Quand le pollen est proche de la maturité, les filets, des verticilles de trois étamines, s'allongent fortement afin d'osciller aisément et de faciliter ainsi l'entraînement du pollen[9]. Les fleurs des graminées ne sont pas apparentes si on les compare à celles d'autres plantes florifères. Selon les espèces, on trouve une, deux, trois ou plusieurs fleurs par épillet. Leur pollinisation est assurée par le vent.

Les graines des graminées adoptent diverses formes, toutes adaptées à un type quelconque de dispersion. Certaines voyagent grâce au vent alors que d'autres pénè-

Aster novae-angliae (Aster de la Nouvelle-Angleterre) avec *Deschampsia caespitosa* 'Goldgehänge' (Deschampsie).

trent dans la fourrure des animaux ou dans les tissus des vêtements, se laissant ainsi transporter plus loin.

Les plantes graminiformes comme les cypéracées sont également des herbes vivaces constituées de rhizomes abondamment ramifiés. Leurs bourgeons se développent en tiges pleines triangulaires ou rondes et sans nœuds. Les feuilles possèdent une gaine non fendue et le limbe est rubané mais tristique, c'est-à-dire inséré sur trois rangs et non ligulé. Les fleurs sont groupées en inflorescences ayant l'aspect d'épillets – et leur périanthe est nul ou réduit, constitué de soies ou d'écailles, et peuvent être bien visibles comme chez *Carex*[10]. Le fruit est un akène à albumen amylacé. Chez les *Luzula,* qui font partie de la famille des joncacées, les feuilles naissent à la base de la plante. Leurs fleurs peuvent être arrangées en fausses ombelles ou en corymbes. Elles peuvent être très visibles comme chez *Luzula nivea* (Luzule argentée). Suivant l'ordre botanique, les graminées sont classées en genres, en espèces et en variétés (par exemple : le genre ***Festuca,*** l'espèce ***glauca*** et la variété **'Meerblau'**).

CHAPITRE 2

LES GRAMINÉES AU JARDIN

Comment les cultiver

Panicum v. 'Heavy Metal' (Panic raide) encadré par différents *Miscanthus* (Roseau de Chine).

Le coin du philosophe.

LES GRAMINÉES ORNEMENTALES SONT DES PLANTES BIEN ROBUSTES, peu exigeantes et généralement de culture facile. Les espèces et variétés offertes dans les pépinières et les jardineries ont été sélectionnées pour leur beauté et pour répondre adéquatement aux différentes conditions physiques et écologiques qui prévalent sur les terrains des particuliers comme dans les espaces publics.

Toutes les graminées, aussi bien les petites variétés que les hautes comme les gracieuses *Molinia* ou les grands *Miscanthus* (225 cm de hauteur), présentent des tiges molles. Elles ne possèdent pas la structure ligneuse qui caractérise les arbres et les arbustes, et qui leur permettrait d'être rigides. Pour cette raison, les tiges des graminées comme celles d'autres vivaces sèchent chaque automne. Par conséquent, ces plantes recommencent leur croissance à partir du sol chaque printemps. Le spectacle demeure fascinant pour le jardinier qui admire la performance des variétés géantes du tout début du printemps jusqu'à l'automne, au moment où l'élégant feuillage

Molinia c. 'Heidebraut' (Molinie) aux abords d'un étang met en valeur *Lobelia cardinalis* (Lobélia).

en forme de fontaine se fait couronner de plumes très décoratives ou de délicates hampes florales. En les observant, on comprend qu'une telle croissance ne peut se produire que dans un sol fertile à l'humidité optimale. Cette performance a cependant perdu son caractère miraculeux depuis qu'on a découvert que plusieurs graminées font partie du groupe des plantes les plus productives, et cela grâce à leur capacité d'assimiler le gaz carbonique (CO_2) différemment et plus efficacement que les autres plantes en général.

Miscanthus sinensis 'Malepartus' (Roseau de Chine).

Deschampsia c. 'Goldgehänge' (Deschampsie) avec *Armeria* (Arméria) à gauche.
Festuca (Fétuque) dans une rocaille avec une petite edelweiss.

LE SOL

Un sol fertile et limoneux contient beaucoup de matière organique caractérisée par une couleur brun foncé et même noire. Quand on le comprime dans la main, il garde sa forme grâce à la présence des particules collantes du limon. Les terres moins fer-

Echinacea purpurea (Échinacée) mise en valeur par *Panicum v.* 'Squaw' (Panic raide).
Physostegia virginiana (Physostégie), avec sa floraison en septembre, s'associe bien aux graminées. Ici avec *Pennisetum* à droite.
Molinia c. 'Dauerstrahl' (Molinie) s'harmonise bien avec *Aconitum wilsonii* 'Barker' (Aconit) et *Cimicifuga racemosa* 'Brunette' (Cierge d'argent).

tiles sont soit plus sablonneuses ou plus argileuses, mais les deux ont une couleur plus claire en raison de leur contenu moins élevé en matière organique. Même si dans un sol moins fertile les plantes sont moins luxuriantes, les végétaux et graminées adaptés à ces conditions se développeront de manière satisfaisante. Ce type de sol a par ailleurs l'avantage d'aider au contrôle des mauvaises herbes qui ne se développent pas autant, ce qui réduit considérablement les problèmes d'entretien.

Les variétés majestueuses de graminées se développeront dans toute leur splendeur, à condition que la terre soit suffisamment fertile. C'est le cas des variétés géantes de *Miscanthus* et de *Molinia* qui poussent mieux lorsque la terre est riche.

Certaines graminées moins hautes ont aussi besoin d'une terre fertile afin d'atteindre leur niveau de croissance optimal: *Pennisetum* – (Fountain Grass), *Chasmanthium* – (Northern Sea Oats), *Briza* – Brize – (Perennial Quaking Grass) et *Carex muskingumensis* – Laîche à feuilles de palmier – (Palm sedge). Pour cette raison, celles-ci s'intègrent très bien dans les plates-bandes traditionnelles composées d'autres vivaces qui auraient les mêmes exigences quant à la fertilité du sol. Ces graminées forment de belles compositions lorsqu'on les associe aux *Delphinium* – Pied-d'alouette – (Delphinium), *Paeonia* – Pivoine – (Peony), *Papaver* – Pavot – (Poppy), *Phlox* – Phlox – (Phlox) et *Rudbeckia nitida* – Rudbeckia – (Coneflower) ou à *Physostegia* – Physostégie – (False Dragonhead) et à *Aconitum* – Aconit – (Monkshood), de même qu'à des annuelles et à des arbustes. Elles profitent ensemble d'une fertilisation adéquate. Il faut cependant être conscient que l'abondance d'azote dans le sol

Carex muskingumensis (Laîche) au pied de *Filipendula* (Filipendule).

Composition de *Calamagrostis a.* 'Karl Foerster' (Calamagrostide), *Kniphofia* (Tison de Satan) et *Rudbeckia nitida* (Rudbeckia).

Aménagement sec avec *Festuca glauca* (Fétuque).

Aménagement typique pour les sols pauvres et secs composé de *Festuca glauca* (Fétuque) et de *Sedum* (Orpin).

Deux espèces suffisent pour rendre attrayant ce terrain argileux, soit *Sedum spectabile* 'Autumn Joy' (Orpin) et *Helictotrichon sempervirens* (Herbe bleue).

Le bleu unique de *Leymus racemosus* (Élyme).
Koeleria glauca (Koelérie glauque) devant *Sesleria autumnalis* (Seslérie) et *Verbascum* (Molène).

(le premier chiffre, indiqué par N, sur l'emballage des fertilisants) peut provoquer une croissance excessive de la plante et un affaiblissement de ses tiges, qui risquent de se plier ou même de casser sous le vent ou la pluie.

D'autres graminées poussent bien dans un sol moins riche ou encore dans des conditions de sécheresse. Grâce à leur résistance à la sécheresse, ces graminées n'ont pas besoin d'arrosage même pendant les périodes les plus arides de l'été. Les plantes bien adaptées à ces conditions sont nombreuses. Il y a d'abord le groupe de graminées au feuillage bleuté et persistant comme les *Festuca* – Fétuque – (Fescue), *Helictotrichon* – Herbe bleue – (Blue Oat Grass), *Carex glauca* – Laîche – (Blue Sedge), *Koeleria glauca* – Koelérie glauque – (Blue Hair Grass). Puis celles au feuillage non persistant, aussi bleuté : *Sesleria caerulea* – Seslérie – (Blue Moor Grass), *Panicum virgatum* 'Heavy Metal' – Panic raide – ('Heavy Metal' Switch Grass), *Schizachyrium scoparium* Schizachyrium à balais – (Little Blue Stem) et l'envahissant *Leymus* – Élyme – (Wild Rye). Le volume et la texture des feuilles sèches de ces dernières produisent quand même des effets de texture intéressants qui rendent le jardin aussi charmant en automne qu'en hiver.

La couleur bleue des feuilles de ces graminées est causée par une protection produite par la plante elle-même pour diminuer sa perte en eau. Cette protection est souvent constituée d'incrustations de cire. En revanche, d'autres graminées résistent à la sécheresse en créant un système racinaire très profond et efficace comme celui de *Schizachyrium scoparium* – Schizachyrium à balais – (Little Blue

Stipa capillata (Stipe) fait bonne figure en plein soleil, même dans un sol pauvre et très sec.

Melica transsilvanica (Mélique) éclairée par les derniers rayons du soleil.

Luzula sylvatica 'Marginata' (Luzule des forêts) retient bien les feuilles des arbres à l'automne.

Stem), celui de toutes les *Stipa* – Stipe – (Feather Grass) originaires des prairies sèches et celui des différents *Panicum* – Panic raide – (Switch Grass), des *Bouteloua curtipendula* – *Bouteloua* – (Side Oats Gramma), des *Calamagrostis* – Calamagrostide – (Reed Grass), des *Carex muskingumensis* – Laîche à feuilles de palmier – (Palm Sedge), des *Melica transsilvanica* – Mélique – (Melic Grass), des *Sporobolus heterolepis* – Sporobole à glumes inégales – (Prairie Dropseed), des *Sesleria autumnalis* – Seslérie (Autumn Moor Grass), des *Spodiopogon sibiri-*

Molinia c. 'Heidebraut' (Molinie) à l'avant et à gauche, et *Panicum v.* 'Strictum' (Panic raide) à l'arrière.

Porte formée par deux groupements de *Calamagrostis a.* 'Karl Foerster' (Calamagrostide).

cus – (Siberian Graybeard), ainsi que des différentes variétés de *Phalaris* – Ruban de bergère – (Ribbon Grass). Pour les endroits ombragés et secs, choisissez par exemple les *Luzula sylvatica* – Luzule des forêts – (Greater Wood-Rush), les *Luzula nivea* – Luzule argentée – (Snowy Wood-Rush) et les différentes *Sesleria* – Seslérie – (Moor Grass).

Plusieurs cyperacées et les joncacées se trouvent quant à elles au mieux dans les endroits humides, soit aux abords des bassins, des étangs et des ruisseaux. Quelques graminées comme *Panicum* – Panic raide – (Switch Grass), mais aussi les envahissantes *Glyceria* – Glycérie – (Variegated Manna Grass) et *Spartina pectinata* – Spartine pectinée – (Golden-edged Prairie Cord Grass) préfèrent un site hors de l'eau mais humide. Elles s'associent bien, par exemple, aux différents iris aquatiques.

Même si les graminées citées croîtront d'une manière optimale dans les conditions décrites, en général elles pousseront également bien dans les conditions normales de nos jardins. Pour obtenir des renseignements plus détaillés sur les besoins spécifiques de chaque plante, veuillez consulter le répertoire (p. 153) et la Liste des graminées par caractéristiques (p. 178).

Carex morrowii 'Variegata' (Laîche japonaise).

L'ENSOLEILLEMENT

Nous l'avons déjà mentionné, la plupart des graminées ont leur origine dans les différentes prairies du monde et sont par conséquent des enfants du soleil. Mais les endroits ombragés, sous les arbres ou du côté nord des bâtiments, peuvent aussi accueillir un certain nombre de graminées. Les habitats originaux de ces plantes qui tolèrent l'ombre sont principalement les sous-bois du monde entier. Ces graminées ont toutes en commun leur préférence pour un sol très riche en matière organique et assez humide. Parmi elles, les *Luzula* – Luzule – (Wood-Rush), *Carex* – Laîche – (Sedge) et *Sesleria* –

Quand *Osmunda regalis* (Osmonde royale) prend sa coloration automnale, *Carex plantaginea* (Laîche à feuilles de plantain) garde son feuillage vert luisant.

Chasmanthium latifolium.
Hakonechloa macra 'Aureola'.

Seslérie – (Moor Grass) sont les plus connues. Le fait que ces graminées gardent leur feuillage sous la neige leur donne le grand avantage de pouvoir profiter du soleil au printemps et à l'automne, quand les branches nues des arbres laissent les rayons du soleil inonder le sol. Puisque c'est ainsi qu'elles obtiennent le soleil nécessaire, peu de graminées aux feuilles non persistantes arrivent à bien pousser à l'ombre.

Les graminées les plus hautes recommandées pour les endroits ombragés sont le gracieux *Chasmanthium latifolium* – (Northern Sea Oats), le délicat *Carex muskingu-*

Le charme de *Calamagrostis brachytricha* (Calamagrostide) dans un jardin ombragé.
Deschampsia caespitosa (Deschampsie) dans une rocaille située à l'ombre.

mensis – Laîche à feuilles de palmier – (Palm Sedge), *Calamagrostis brachytricha* – Calamagrostide – (Korean Feather Reed Grass) dont l'inflorescence est teintée de mauve, *Panicum clandestinum* – Panic clandestin – (Deer Tongue Grass) avec ses larges feuilles dont la forme rappelle un bambou nain, *Hystrix patula* – Hystrix étalé – (Bottle Brush Grass) avec son inflorescence en forme de brosse et *Deschampsia caespitosa* – Deschampsie – (Tufted Hair Grass) avec ses feuilles et inflorescences délicates et fines.

Hakonechloa macra – (Hakone Grass) est une graminée qui pousse très lentement. Originaire du Japon, ce sont ses feuilles gracieuses qui la rendent attrayante. La forme panachée, *Hakonechloa macra* 'Aureola', dont les feuilles délicates sont teintées de jaune doré et de vert, constitue un attrait extrêmement décoratif dans les jardins ombragés.

Les amateurs de plantes au feuillage panaché seront également enchantés de la lumière dégagée par les feuilles blanc verdâtre du robuste *Phalaris arundinacea* 'Picta' – Ruban de bergère – (Ribbon Grass) lorsqu'il est situé dans un endroit ombragé. Au printemps, la variété 'Feesey's Form' est colorée d'une teinte rose qui tourne au blanc en été.

Calamagrostis brachytricha (Calamagrostide), une favorite tant pour l'ombre que pour le soleil.

En bas à gauche : *Hystrix patula* (Hystrix étalé).

En bas à droite : *Pennisetum alopecuroides* comme plante vedette en automne avec Roland.

Page de droite : *Miscanthus s.* 'Roland' (Roseau de Chine) dépassera facilement 200 cm s'il est planté dans une terre bien fertile.

Helictotrichon sempervirens (Herbe bleue) à gauche et *Hakonechloa macra* 'Aureola' à droite d'un sentier traversant un jardin anglais.

L'effet de lumière produit par cette plante est plus accentué parce que ses feuilles sont plus blanches que celles de la variété 'Picta'. Mais elles sont aussi envahissantes l'une que l'autre; on doit donc éviter leur plantation dans les petits jardins.

LA PLANTATION

La culture des graminées est tout à fait semblable à celle des autres vivaces. La préparation du sol est la même: il doit être meuble et absolument sans mauvaises herbes. Il faut d'abord nettoyer soigneusement le sol de toute trace de mauvaises herbes, principalement s'il contient du chiendent. Une fois que cette graminée nuisible est introduite dans les plantations des graminées ornementales, il devient extrêmement difficile de s'en débarrasser.

La plantation ou la transplantation des graminées ornementales se fait idéalement avant ou pendant la période de croissance de leurs racines, soit au moment où les bouts des racines forment des points clairs et tendres faciles à observer à la loupe.

Ci-contre : festival automnal d'*Aster* (Aster) et de *Sedum* (Orpin) avec *Panicum virgatum* 'Rotstrahlbush' au centre et *Panicum v.* 'Strictum' (Panic raide) à l'arrière.

À droite : *Molinia a.* 'Windspiel' (Molinie) comme plante vedette dans un sol argileux.

La texture fine de *Panicum virgatum* 'Strictum' (Panic raide) devant *Alcea ficifolia* (Rose trémière).

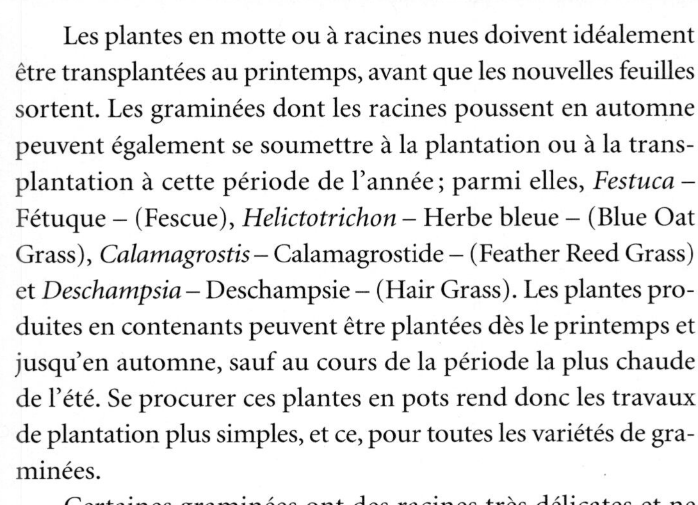

Les plantes en motte ou à racines nues doivent idéalement être transplantées au printemps, avant que les nouvelles feuilles sortent. Les graminées dont les racines poussent en automne peuvent également se soumettre à la plantation ou à la transplantation à cette période de l'année ; parmi elles, *Festuca* – Fétuque – (Fescue), *Helictotrichon* – Herbe bleue – (Blue Oat Grass), *Calamagrostis* – Calamagrostide – (Feather Reed Grass) et *Deschampsia* – Deschampsie – (Hair Grass). Les plantes produites en contenants peuvent être plantées dès le printemps et jusqu'en automne, sauf au cours de la période la plus chaude de l'été. Se procurer ces plantes en pots rend donc les travaux de plantation plus simples, et ce, pour toutes les variétés de graminées.

Certaines graminées ont des racines très délicates et ne peuvent être plantées qu'à partir des plants produits en pots dont les *Pennisetum* – (Fountain Grass), *Sasa minor* – Bambou nain – (Dwarf Bamboo) ou les espèces très délicates comme

Calamagrostis brachytricha (Calamagrostide) à gauche et *Miscanthus purpurascens* (Roseau) à droite, au début du mois d'octobre.

Miscanthus s. 'Malepartus' (Roseau de Chine), *Perovskia atriplicifolia* (Sauge russe) et *Sedum* (Orpin).

Helictotrichon sempervirens (Herbe bleue) entourée de *Spirea* (Spirée), *Dianthus* (Œillet) et de *Salvia* (Sauge).

Page de droite : *Perovskia atriplicifolia* (Sauge russe) en plein soleil entourée par *Helictotrichon sempervirens* (Herbe bleue) en avant et *Calamagrostis brachytricha* (Calamagrostide) en arrière.

L'hiver, la quatrième saison des graminées.

Les fleurs ne sont déjà plus là mais *Calamagrostis acutiflora* 'Karl Foerster' (Calamagrostide) et les grands *Miscanthus* (Roseau) garderont leur splendeur jusqu'en hiver.

Ayant les mêmes exigences que les plantes florifères, les graminées ornementales se laissent accompagner par d'autres plantes vivaces comme *Calamagrostis brachytricha* (Calamagrostide).

Imperata cylindrica – Imperata – (Japanese Blood Grass), *Carex morrowii* – Laîche japonaise – (Japanese Sedge), *Hakonechloa macra* 'Aureola' – (Hakone Grass), *Luzula sylvatica* – Luzule des forêts – (Greater Wood-Rush), *Luzula nivea* – Luzule argentée – (Snowy Wood-Rush) et toutes les variétés de *Stipa* – Stipe – (Feather Grass). Les nombreuses variétés de *Miscanthus sinensis* – Roseau de Chine – (Japanese Silver Grass) doivent également être plantées à partir des plantes produites en contenants parce que la croissance de leurs racines ne commence qu'après l'éclatement de leurs feuilles au printemps. La seule variété envahissante de *Miscanthus, Miscanthus sacchariflorus* – Eulalie – (Silver Banner Grass), est la seule qui supporte une plantation à racines nues, mais elle doit être réalisée tôt au printemps.

Toutes les graminées hautes, dites de grande performance, poussent mieux lorsqu'on ajoute de l'os moulu dans la fosse de plantation. De plus, un arrosage généreux après la plantation permet d'éliminer l'air tout autour des racines et de bien y faire adhérer le sol, ce qui facilite le processus d'enracinement. Mais cela n'est possible qu'à condition que la motte de la plante soit assez humide avant la plantation. Une motte sèche n'acceptera pas l'eau et restera sèche malgré de bons arrosages subséquents.

LES MALADIES ET LES RAVAGEURS

Les soins à accorder aux graminées ornementales pendant la saison de croissance sont assez simples. Les maladies sont très rares et ces plantes ne se font pas attaquer de façon visible par les insectes et autres gourmets qui dévorent nos plantes cultivées. Des ravageurs comme le mulot et, de temps en temps, les lièvres et les lapins, peuvent endommager temporairement les graminées aux feuilles persistantes pendant l'hiver. Les feuilles des fétuques, des herbes bleues et des luzules peuvent alors être rasées au niveau du sol mais elles repoussent avec vigueur au printemps, et même parfois mieux, parce qu'une taille effectuée à cette période s'avère bénéfique pour le rajeunissement de leur feuillage. Quant au mulot, vorace dès le mois d'octobre et jusqu'en avril, il ne rase malheureusement pas que les feuilles. Il peut grignoter les racines et tuer la plante. Lorsqu'il ne mange que les feuilles, il le fait de manière inégale, ce qui nous oblige à retailler les plantes au printemps.

Il est possible de contrôler les mulots à l'aide d'appâts déposés dans des drains en plastique coupés en sections d'environ 30 cm de longueur ou dans des contenants en plastique vides. On place ces contenants fermés à l'envers, en ménageant un trou sur le côté pour les appâts et le mulot. Ces contenants empêcheront que d'autres animaux comme les oiseaux mangent l'appât. Celui-ci sera introduit au centre du piège (morceau de drain) qui sera placé sous le feuillage des plantes au début du mois d'octobre. En avril, au moment de la coupe des tiges sèches, les résidus des appâts seront enlevés pour les déposer dans une poubelle à déchets toxiques. Les morceaux de drain et les contenants seront rangés et réutilisés l'automne suivant. Quant aux maladies, la rouille peut laisser des traces sur quelques plantes au cours d'un été excessivement humide.

L'ARROSAGE ET LA FERTILISATION

La résistance à la sécheresse est certainement un très grand atout pour de nombreuses graminées et une raison de plus pour les intégrer à nos plantations ornementales. En effet, un grand nombre d'entre elles supportent très bien le manque d'eau. Seules les espèces qui vivent mieux dans un sol humide ont besoin d'arrosage et cela seulement par temps de grande sécheresse (voir la Liste des graminées par utilisation, p. 181). Avant d'arroser les plantes ou les plantations résistantes à la sécheresse, il faut se souvenir que chaque arrosage profite aussi aux mauvaises herbes.

La fertilisation des graminées ornementales est en principe négligeable. Normalement, la fertilité naturelle du sol est suffisante pour assurer une bonne performance des graminées. Mais si on ne peut s'empêcher de donner une dose d'engrais, il est important de s'en servir raisonnablement. Le dosage d'azote (N) est à limiter pour éviter une croissance forcée au détriment de la stabilité des tiges. On choisira des engrais composés contenant principalement du phosphore (P) et du potassium (K), qui soutiennent le développement des racines et la formation de la structure intérieure des tiges. Ces trois composantes sont bien identifiées dans la séquence N-P-K sur les emballages d'engrais commercial.

Le meilleur fertilisant et le plus économique est certainement le compost. Appliqué en couches minces (2 cm) à l'automne, le compost offre aussi une protection hivernale additionnelle.

LA TAILLE

En général, les graminées demandent un entretien minimal. On ne coupe leurs tiges sèches que tôt au printemps, et non à l'automne. Quatre raisons justifient cette pratique. D'abord, les tiges sèches servent de protection hivernale, car elles aident à capter la neige. La deuxième raison est purement esthétique ; les tiges sèches, dans leurs teintes jaune clair et dorées, sont d'une grande beauté à la fin de l'automne et en hiver, surtout quand elles sont recouvertes de cristaux de glace scintillants ou de légers flocons de neige. Il est aussi plaisant de voir les chardonnerets se balancer dans les tendres épis lorsqu'ils cherchent à se nourrir des graines durant l'hiver. Certaines graminées produisant des graines sont recherchées par les oiseaux : les *Molinia*, les *Andropogon,* les *Calamagrostis,* les *Panicum,* les *Sorghastrum* et les *Sporobolus.* Enfin, pendant l'hiver, les tiges et les feuilles sèches servent aussi d'abri à une multitude de petits animaux sympathiques comme les coccinelles. Si on est chanceux, on peut même trouver au printemps des nids d'oiseaux cachés dans nos graminées.

Miscanthus sacchariflorus (Eulalie) penché sous l'effet du verglas.
L'hiver, encore une fois, la quatrième saison des graminées.

LA RUSTICITÉ

La rusticité d'une plante est déterminée par sa capacité de résister au froid. Les botanistes et les horticulteurs ont établi des zones de rusticité basées sur des données climatiques pour les arbres et les arbustes ornementaux. Ils ont évalué la résistance de chaque espèce par rapport aux conditions qui prévalent dans chacune de ces zones. La rusticité est devenue une information de grande importance pour le jardinier qui veut cultiver ces plantes dans sa région.

La rusticité des graminées ornementales vivaces devrait être semblable à celle des autres plantes vivaces, mais la réalité diffère de ce que l'on souhaiterait. Les arbres et les arbustes sont exposés directement aux rigueurs du climat dans lequel ils vivent. En revanche, la plupart des tiges des graminées vivaces sèchent à l'automne. Pendant l'hiver, leurs rhizomes et leurs bourgeons de régénération restent cachés dans le sol. Ils sont donc protégés du froid et du gel. La résistance de ces végétaux dépend de la résistance au froid de leurs bourgeons et de leurs racines, et ce, même s'ils sont protégés par une couche de neige.

Cette résistance au froid des bourgeons et des racines n'est pas la même chez toutes les graminées. Elle dépend des caractéristiques génétiques de chaque plante et de la façon dont les graminées se préparent à passer l'hiver. Par exemple, un automne sec et froid leur permet une meilleure préparation qu'une saison automnale chaude et humide qui stimulerait la croissance plutôt que de l'arrêter. La résis-

Miscanthus purpurascens (Roseau), le plus rustique et le plus robuste des *Miscanthus.*

L'hiver des graminées.

tance des graminées dépend également de l'épaisseur de la couche de neige qui s'accumule sur la plante. Plus il y a de neige, meilleure est la protection.

La grande majorité des graminées ornementales mentionnées dans cet ouvrage possèdent une résistance suffisante pour survivre à l'hiver sans problème dans la zone de rusticité 5. Un grand nombre d'entre elles ont même une résistance au froid assez élevée pour être rustiques jusqu'en zone 3. Il y a cependant des exceptions à la règle, comme les graminées originaires des climats plus doux qui ne résistent pas au froid rigoureux de nos hivers comme la magnifique *Cortaderia selloana,* la grande *Arundo donax,* le fameux *Pennisetum setaceum* aux feuilles et inflorescences rouges, ou les merveilleux bambous arbustifs. Certaines graminées, dont les très colorés *Imperata cylindrica* 'Red Baron' et *Hakonechloa,* ou encore les bambous nains, survivent à peine en zone 5, car elles s'y trouvent à la limite de leur résistance au froid et exigent des soins particuliers.

D'autres graminées résistent bien au froid en zone 5 et même en zone 4 dès qu'elles profitent d'une bonne couverture de neige. Ces plantes relativement fragiles, dont *Pennisetum alopecuroides, Miscanthus sinensis* 'Gra-

Molinia a. 'Windspiel' (Molinie) à la première neige de novembre.

cillimus', *Miscanthus sinensis* 'Variegatus', *Miscanthus sinensis* 'Strictus', *Miscanthus sinensis* 'Zebrinus' et d'autres variétés panachées, deviennent vulnérables et peuvent geler lorsqu'il manque de neige. Il semble que plus la plante est âgée, plus elle résistera au froid. Mais attention ! *Pennisetum alopecuroides* ainsi que les *Miscanthus* ne se réveillent que très tard au printemps, ne perdez donc pas espoir trop vite.

Aux endroits où la neige est peu abondante, il faut considérer la possibilité d'installer une clôture à neige ou prévoir une protection hivernale avec des couvertures thermiques.

Un site en particulier peut jouir d'un microclimat différent du climat de la région. Par exemple, un changement de 300 m en altitude peut entraîner une baisse de la température de 1 °C au moins, tandis qu'un jardin exposé au sud peut gagner une zone de rusticité. Même chose pour une plate-bande située du côté sud de la maison. À l'opposé, une plate-bande située du côté nord de la maison peut

Helictotrichon sempervirens (Herbe bleue) qui brille dans sa décoration hivernale.

correspondre à une zone de rusticité inférieure à la région. Un jardin situé à proximité d'un fleuve ou au bord de la mer bénéficie de conditions climatiques plus favorables. Il est même fascinant de constater les variations du microclimat du côté sud d'un mur en pierre ou tout simplement près d'une grande roche ou d'un bon brise-vent.

Le défi consiste donc à étudier toutes les variations des conditions climatiques d'un site et à choisir les plantes qui peuvent s'adapter de manière optimale à la situation. Le jardinier observateur pourra se lancer dans l'expérimentation et quelquefois prendre des risques. Tout cela fait partie du plaisir infini du jardinage.

LA RUSTICITÉ ZONE 3

En zone 3 (-40 °C), sous une bonne couverture de neige (20 cm et plus), les plantes suivantes sont très rustiques.

Achnatherum calamagrostis
Briza media
Calamagrostis acutiflora (toutes les variétés)
Carex (la plupart des variétés)
Dactylis glomerata 'Variegata'
Deschampsia caespitosa (toutes les variétés)
Festuca (toutes les variétés)
Helictotrichon sempervirens
Koeleria
Leymus
Luzula (toutes les variétés)
Miscanthus purpurascens
Miscanthus sacchariflorus
Molinia caerulea (toutes les variétés)
Molinia caerulea subsp. *arundinacea* (toutes les variétés)
Panicum virgatum (toutes les variétés)
Phalaris arundinacea (toutes les variétés)
Schizachyrium scoparium
Sesleria autumnalis
Sorghastrum nutans
Spodiopogon sibiricus

CHAPITRE 3

LES GRAMINÉES AU JARDIN

Comment les utiliser

Helictotrichon sempervirens (Herbe bleue) comme plante vedette dans un aménagement sec avec des *Achillea* (Achillée).

Pennisetum setaceum.

CE N'EST QUE RÉCEMMENT QUE L'ON A PRIS CONSCIENCE DE LA BEAUTÉ des graminées. La plupart du temps, ces plantes sont utilisées au jardin pour couvrir de très grandes étendues. Elles sont entretenues par une tonte régulière afin d'obtenir une surface verte homogène. Mais de nos jours, si l'on cherche à faire des découvertes ainsi qu'à donner une allure plus dynamique et plus riche en textures à son jardin, on se tourne vers les graminées ornementales.

Les graminées ornementales existent sous deux formes : les annuelles, avec un cycle de vie d'au plus un an et les vivaces, avec une vie de plusieurs années.

Un jardin de graminées annuelles peut être obtenu très facilement en ensemençant les graines directement sur le terrain au début du printemps, sitôt que la terre est prête à être travaillée. On peut aussi semer les graminées annuelles en serre de quatre à huit semaines avant la période de plantation. Au début du printemps, on les transplante dans le jardin en gardant une distance de 30 cm entre les plants. Les graminées ornementales annuelles poussent bien dans un endroit généralement ensoleillé et dans un sol normal. Au début de leur croissance, il faut leur assurer une certaine humidité. Le seul soin qu'elles nécessitent au cours de l'été est un désherbage périodique.

Néanmoins, pour profiter pendant plusieurs années de ces plantes superbes, il est préférable de faire son choix parmi les espèces vivaces. Elles sont peu exigeantes en termes de culture et demandent donc peu d'entretien. On trouve de plus en plus d'espèces, qui n'offrent pas qu'une richesse de formes mais aussi de grandes possibilités d'utilisation à différentes fins et dans divers endroits du jardin.

Molinia a. 'Windspiel' (Molinie) sera l'attrait principal de cet aménagement en automne.

Avant l’intervention paysagère.

Après l’aménagement paysager.

Terrasse agrémentée par *Miscanthus purpurascens* (Roseau).

Sur le champ d'épuration : *Rudbeckia s.* 'Goldsturm' (Rudbeckia) devant *Helictotrichon sempervirens* (Herbe bleue), à l'arrière-plan *Panicum v.* 'Squaw' (Panic) au centre et *Calamagrostis a.* 'Karl Foerster' (Calamagrostide) à gauche.

En avant, *Rudbeckia* (Rudbeckia) suivi de *Helictotrichon sempervirens* (Herbe bleue), *Perovskia atriplicifolia* (Sauge russe), *Calamagrostis acutiflora* 'Karl Foerster' (Calamagrostide) et *Panicum virgatum* 'Squaw' (Panic raide) à droite.

Un coin plus romantique du jardin vu à travers le rideau subtil des *Molinia* (Molinie).

Sesleria autumnalis (Seslérie) est un excellent couvre-sol.

COUVRE-SOL

L'utilisation de graminées comme couvre-sol s'avère intéressante en avant-plan des plates-bandes. Les espèces les plus petites offrent des effets particulièrement attrayants par leur texture et par leur forme. On s'en sert pour couvrir de petites surfaces et pour remplacer le gazon dans les espaces difficiles à tondre.

Les jardins d'ombre sont des endroits idéaux pour l'utilisation des différents types de laîches, qu'on appelle aussi carex, comme *Carex glauca* – Laîche bleue – (Blue Sedge). La graminée indigène *Carex grayi* – Carex de Gray – (Gray's Sedge), avec son

COUVRE-SOL POUR JARDINS OMBRAGÉS

Carex glauca
Carex grayi
Carex morrowii
Carex muskingumensis
Carex plantaginea
Carex siderosticha 'Variegata'
Deschampsia caespitosa
Luzula nivea
Luzula sylvatica
Panicum clandestinum
Sesleria autumnalis
Sesleria caerulea

feuillage vert brillant et son inflorescence particulière de 30 cm de hauteur, est très attrayant. Il en est de même pour le feuillage vert clair très décoratif de *Carex muskingumensis* – Laîche – (Palm Sedge) et pour les feuilles très larges et vert foncé brillant de la graminée indigène *Carex plantaginea* – Carex à feuilles de plantain – (Plantain-Leaved Sedge). Chez *Carex morrowii* 'Variegata' – Laîche japonaise – (Japanese Sedge Grass) et d'autres formes de carex, ce qui attire, c'est un feuillage plus fin et plus délicat, mais aussi intéressant grâce à ses rayures argentées longitudinales. On utilise cette plante comme couvre-sol ou encore comme attrait principal dans l'aménagement de petits groupes de végétaux ou pour des jardins plus petits.

Les luzules font également de très jolis couvre-sol. Elles sont surtout recommandées pour les petits jardins situés à l'ombre. Choisissez par exemple *Luzula sylvatica* 'Marginata' – Luzule des forêts – (Greater Wood-Rush) et *Luzula nivea* – Luzule argentée – (Snowy Wood-Rush). Il existe pratiquement dans tous les jardins des coins ombragés où le gazon ne pousse pas bien par manque de lumière ou parce que l'endroit est trop sec. Les graminées ornementales de petite taille mentionnées ici peuvent aider à créer un tapis vert semblable à celui du gazon. Cependant, cette solution ne doit être utilisée que dans les endroits où il n'y aura pas de piétinement, car contrairement au gazon, ces plantes ne supportent pas que l'on marche dessus. On pourra y ajouter quelques plantes vivaces comme *Geranium macrorrhizum* (Géranium vivace) qui constitue un bon compagnon pour un effet très esthétique.

L'inflorescence toute spéciale de *Carex grayi* (Carex de Gray).

Carex plantaginea (Laîche à feuilles de plantain) garde son feuillage vert luisant durant tout l'hiver.

Luzula nivea (Luzule argentée) forme un joli tapis blanc sous les arbres.

En hiver, ces petites plantes à feuilles plates forment un joli tapis très dense grâce à leurs feuilles persistantes. Au moment de la première neige, elles produisent un effet de texture d'une beauté étonnante, leurs rosettes chevelues imprimées sur un fond blanc immaculé. Au printemps, à la fonte des neiges, ces plantes qui ont gardé leur feuillage offrent un cadre charmant et délicat aux bulbes et aux plantes printanières de sous-bois comme les perce-neige, scilles, muscaris, anémones, trilles, érythrones et autres. Aux endroits où la terre est plus riche, les carex et les luzules se marient très bien aux palettes multicolores formées par les primevères, les bergénias, les petits cœurs-saignants, ou encore les doroniques, astilbes et hémérocalles, sans oublier les fougères.

Étant donné leur petite taille, les carex et les luzules sont plantés avec 25 à 30 cm de distance entre eux. Comme toutes les plantes de sous-bois, ils préfèrent un sol riche en matière organique et plutôt acide, mais *Luzula sylvatica* et *Luzula nivea* peuvent supporter l'ombre sèche sous des conifères, à condition qu'elle ne soit pas trop forte. C'est pour cette raison qu'ils poussent raisonnablement même dans les conditions difficiles qu'on trouve sous les grands conifères comme les pins et les épinettes.

Carex morrowii 'Variegata' (Laîche japonaise).

Carex muskingumensis (Laîche à feuilles de palmier).

Offerte dans les pépinières depuis peu, *Sesleria* – Seslérie – (Moor Grass) est une graminée versatile qui pousse bien tant à l'ombre qu'au soleil. Cette plante vigoureuse peut être utilisée avantageusement dans la plantation de massifs ou comme couvre-sol. *Sesleria autumnalis* – Seslérie – (Autumn Moor Grass) est une petite graminée au feuillage vert clair dont l'inflorescence prend une teinte pourprée à l'automne. Elle pousse également bien sous les arbres. *Sesleria caerulea* – Seslérie – (Blue Moor Grass) est caractérisée par un feuillage bicolore, soit vert au-dessus et gris bleu au-dessous. Son inflorescence en forme de boutons noirs apparaît très tôt au printemps. Les mêmes possibilités d'utilisation s'appliquent aussi aux autres *Sesleria* (voir le répertoire, p. 153).

Panicum clandestinum (Panic clandestin) en été.

Bien différent de toute autre graminée, *Carex siderosticha* 'Variegata' – Laîche – (Creeping Broad-Leafed Sedge) possède des feuilles très larges ornées de grandes bandes blanches. Ce dessin blanc sur les feuilles lui donne l'apparence d'un hosta panaché miniature. On utilisera par conséquent cette plante davantage en petits groupes ou en massifs à l'avant-plan lorsqu'on cherche à obtenir un effet spécial dans un endroit précis du jardin.

Utilisé comme couvre-sol, *Carex muskingumensis* – Laîche à feuilles de palmier – (Palm Sedge) permet de créer un avant-plan très particulier grâce aux nombreuses feuilles se rattachant le long des tiges. Cette laîche de teinte vert clair prend une tonalité brunâtre à l'automne, ce qui donne un aspect différent au jardin. Au printemps, les jardins d'ombre sont éclairés par la lumière qui se dégage de ces feuilles vert tendre. Comme c'est le cas pour la majorité des graminées, les tiges sèches et jaunies de cette laîche demeurent attrayantes tout l'hiver. De plus, elles forment un paillis naturel qui sert de protection contre le gel et le froid en faisant en sorte que la neige s'accumule comme une précieuse couverture. Cette plante offre d'autant plus d'intérêt qu'on la marie avec des plantes dont le feuillage a une texture semblable comme le lis et la liatride, ou avec des conifères bas. Un très bel effet de contraste de textures peut également être obtenu avec des plantes à grand feuillage comme la singulière *Ligularia stenocephala* 'The Rocket' – Ligulaire – (Ragwort) ou les différentes variétés de *Hosta* – Hosta – (Plantain Lily) qui s'avèrent fort intéressantes comme plantes couvre-sol. *Carex muskingumensis* s'étale par des stolons courts. Il peut atteindre jusqu'à 60 cm de hauteur et se prête très bien à la plantation en massifs assez étendus. La distance de plantation recommandée pour cette graminée est de 40 cm, centre à centre. Une nouvelle forme panachée, *Carex muskingumensis* 'Silberstreif', avec une ligne argentée très fine, vient enrichir le choix pour les jardins d'ombre.

Le même type d'utilisation est recommandé pour la graminée indigène *Panicum clandestinum* – Panic – (Deer Tongue Grass). Orné de feuilles très larges, il a l'apparence d'un bambou miniature parce qu'il n'atteint que 70 cm. En été, les fleurs apparaissent très lentement entre les feuilles et leur poids finit par faire tomber les tiges. Malgré cela, il a un potentiel d'utilisation intéressant tant en plantation massive que comme couvre-sol.

Couvre-sol pour les endroits humides tant à l'ombre qu'au soleil, *Deschampsia caespitosa* – Deschampsie – (Tufted Hair Grass) est caractérisée par ses fines feuilles d'un vert très foncé et par son inflorescence en panicules dorées. Cette plante gracieuse peut produire d'excellents effets de contraste en raison de la texture fine de ses feuilles et de ses fleurs. Cette plante doit être plantée à 50 cm de distance, centre à centre, et peut mettre en valeur certaines autres vivaces comme les nombreuses variétés d'astilbes, la lobélie et les différentes variétés de ligulaires. Si la deschampsie est placée de façon à la voir en contre-jour ou devant un arrière-plan foncé, elle donne un effet encore plus spectaculaire. C'est pourquoi cette plante est souvent utilisée comme plante vedette dans les petits jardins ou comme plantation d'encadrement avec d'autres vivaces. Plusieurs variétés sont offertes dans les pépinières. La variété 'Goldgehänge' est la plus hâtive et la plus dorée, tandis que la variété 'Tardiflora' est la plus haute et fleurit plus tard. 'Tauträger' est quant à elle la plus dense. Elles préfèrent toutes un endroit relativement humide.

COUVRE-SOL POUR JARDINS HUMIDES OU MARÉCAGEUX

Eriophorum
Glyceria maxima 'Variegata'
Molinia caerulea
Phalaris arundinacea
Scirpus lacustris
Scirpus lacustris subsp. *tabernaemontani* 'Zebrinus'

Les jardins très humides ou marécageux ainsi que les bassins d'eau constituent des situations idéales pour les graminiformes comme *Scirpus lacustris* – Scirpe – (Bull-Rush) dont les tiges cylindriques sont rigides et se tiennent bien droites. Ils poussent à une profondeur d'eau de 70 cm et peuvent atteindre parfois une hauteur de 100 cm. Une place très spéciale dans l'aménagement aquatique devrait être accordée à *Scirpus tabernaemontani* 'Zebrinus' pour l'effet rare produit par ses lignes blanches horizontales.

Les scirpes sont en harmonie avec les différents iris aquatiques comme *Iris pseudacorus* – Iris – (Yellow Flag Iris), *Iris versicolor* – Iris versicolore – (Common Iris) ou *Iris kaempferi* – Iris japonais – (Japanese Iris). Les scirpes sont aussi appréciés pour leur capacité de purifier l'eau.

Glyceria maxima 'Variegata' (*Glyceria aquatica* 'Variegata') – Glycérie – (Manna Grass) est très adaptée au milieu aquatique. Elle peut pousser en milieu sec, mais elle offre de meilleurs résultats au bord de l'eau ou dans l'eau peu profonde. D'une hauteur de 50 cm, elle attire les regards au printemps par son feuillage panaché et ses tiges roses. Elle est cependant envahissante et doit donc être utilisée avec prudence.

Petite mais tout aussi belle, *Molinia caerulea* 'Variegata' – Molinie – (Variegated Moor Grass) est constituée d'un feuillage en touffes vert et jaune. Généralement utilisée comme plante vedette ou comme couvre-sol en bordure des plates-bandes, c'est une plante de plein soleil destinée aux lieux humides et fertiles. Sa hampe florale atteint 50 cm de hauteur et on plante les individus à 30 cm de distance, centre à centre.

Molinia c. 'Variegata' (Molinie) en avant et *Calamagrostis a.* 'Overdam' (Calamagrostide) en arrière.

Scirpus (Scirpe) embellissant un petit étang.

Glyceria maxima 'Variegata' (Glycérie).

Les hampes florales des deux plus petites variétés de *Molinia caerulea,* 'Overdam' et 'Moorhexe', atteignent respectivement une hauteur maximale de 25 et 30 cm. Leurs tiges florales denses et érigées ainsi que leurs inflorescences pourpre foncé offrent au jardinier la possibilité de composer de jolis tapis foncés en avant-plan ou entre des vivaces plus hautes comme les iris de Sibérie, les hémérocalles, les aconits ou les trolles dans les sites semi-ombragés.

Les hampes florales des variétés un peu plus hautes, comme *Molinia caerulea* 'Dauerstrahl' (45 cm de haut) et 'Strahlenquelle' (60 cm de haut) sont arquées et forment un buisson au port arrondi peu dense et très gracieux. Ces deux plantes peuvent être utilisées également en plantation de massifs entre des plantes plus hautes comme par exemple les *Veronicastrum* (Véronicastre), *Monarda* (Monarde) et *Echinacea* (Échinacée) ou même des graminées plus hautes comme *Spodiopogon* (Spodiopogon) et quelques *Miscanthus* (Roseau). Toutes ces variétés de *Molinia* (Molinie) adoptent un jaune doré très lumineux et éclatant au début de l'automne. C'est pourquoi elles constituent un excellent choix pour créer un effet d'encadrement des plantes florifères.

L'envahissant *Phalaris arundinacea* – Ruban de bergère – (Ribbon Grass) est l'une des graminées les plus utilisées dans les jardins québécois. La forme panachée 'Picta' est très belle et très robuste, et peut être utilisée dans des situations où les contraintes sont importantes. La variété 'Feesey's Form', aussi très robuste, affiche un reflet de teinte rosée dans les parties blanches du feuillage. Les deux poussent aussi bien dans les terrains humides et dans l'eau que dans les terrains plus secs et pauvres. Elles ne craignent ni l'ombre ni le plein soleil. Le fait que *Phalaris* soit une plante très envahissante pose de sérieux problèmes d'entretien lorsqu'elle est plantée dans un petit jardin et dans de la terre fertile et bien arrosée. Il est préférable d'utiliser cette plante dans les espaces suffisamment grands pour qu'elle puisse s'épanouir selon ses besoins. En revanche, pour les petits jardins, nous proposons d'utiliser la variété naine 'Dwarf Garters'.

COUVRE-SOL POUR JARDINS SECS ET ENSOLEILLÉS

Deschampsia flexuosa
Festuca amethystina
Festuca filiformis (tenuifolia)
Festuca gautieri (scoparia)
Festuca glauca
Helictotrichon sempervirens
Holcus lanatus 'Variegatus'
Koeleria glauca
Leymus racemosus
Pennisetum alopecuroides
Pennisetum incomptum
Sesleria autumnalis
Sesleria caerulea
Sporobolus heterolepis
Stipa capillata

Leymus racemosus (Élyme).

Festuca amethystina 'Superba' (Fétuque) avec *Stachys* (Épiaire) et *Lavandula* (Lavande) dans un aménagement sec.

À gauche : crescendo végétal composé d'*Helictotrichon sempervirens* (Herbe bleue) et de *Papaver orientale* 'Allegro' (Pavot).

Les jardins secs et ensoleillés constituent le milieu idéal pour les graminées aux teintes de gris et de bleu des prairies sèches. Les fétuques comme *Festuca amethystina* – Fétuque – (Large Blue Fescue), *Festuca glauca (cinerea)* – Fétuque – (Blue Fescue), *Festuca gautieri (scoparia)* – Fétuque – (Bear Skin Fescue), *Festuca filiformis (tenuifolia)* – Fétuque – (Fine-Leaved Fescue) et leurs variétés sont idéales pour couvrir de petites surfaces. Ces herbes aux multiples teintes de bleu et de vert ne se montrent pas exigeantes quant à la richesse du sol ; au contraire, elles offriront une bonne performance

Festuca amethystina 'Superba' (Fétuque) avec *Dianthus* (Œillet) rose et *Armeria* (Arméria) blanches.

même dans un sol bien drainé et pauvre en matière organique. Idéales pour les jardins à entretien minimal, ces petites plantes au port érigé devraient donc être plantées à une distance de 20 à 30 cm, centre à centre. À l'exception de la fétuque 'Solling', qui ne produit pas de fleurs, les massifs de fétuques aux textures fines en bleu ou gris se transformeront en tapis aux teintes beiges et même rougeâtres au moment de leur fleuraison en été.

Deschampsia flexuosa (Deschampsie) un atout pour les endroits ensoleillés et secs.

En été, *Festuca amethystina* 'Superba' (Fétuque) brille lorsqu'elle fleurit.

Deschampsia 'Tauträger' (Deschampsie) comme encadrement d'un tapis composé de *Festuca amethystina* (Fétuque) et d'*Armeria* (Arméria).

Contraste attrayant de *Sedum spectabile* 'Autumn Joy' (Orpin) entouré par *Helictotrichon sempervirens* (Herbe bleue) en avant-plan et *Calamagrostis a.* 'Karl Foerster' (Calamagrostide) en arrière-plan, plantés dans un sol argileux et bien drainé.

Dans une terre fertile et humide, ces graminées croissent moins bien. Elles ne profitent pas d'une terre fertile ; au contraire, leurs tissus deviennent mous et plus susceptibles d'attraper des maladies fongiques. De plus, elles n'ont aucune chance de soutenir la compétition avec les mauvaises herbes, qui exploitent mieux un sol riche.

Lorsque les conditions de fertilité du sol ne sont pas idéales, *Festuca glauca* peut facilement devenir dégarnie au centre, mais nous avons découvert que les différentes variétés de *Festuca amethystina* se montrent plus résistantes à ce phénomène.

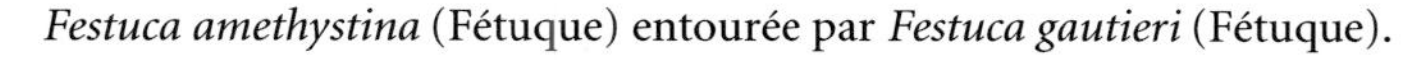

Festuca amethystina (Fétuque) entourée par *Festuca gautieri* (Fétuque).

Ci-contre : *Festuca glauca* 'Azurit' (Fétuque).

À droite : *Helictotrichon sempervirens* (Herbe bleue) et *Lavandula angustifolia* (Lavande) aiment bien le soleil et la sécheresse.

Ci-dessous : *Festuca filiformis* à gauche (Fétuque à feuilles fines) et *Festuca gautieri* 'Pic Carlit' (Fétuque à peau d'ours) composent un excellent cadre pour *Gentiana acaulis* (Gentiane).

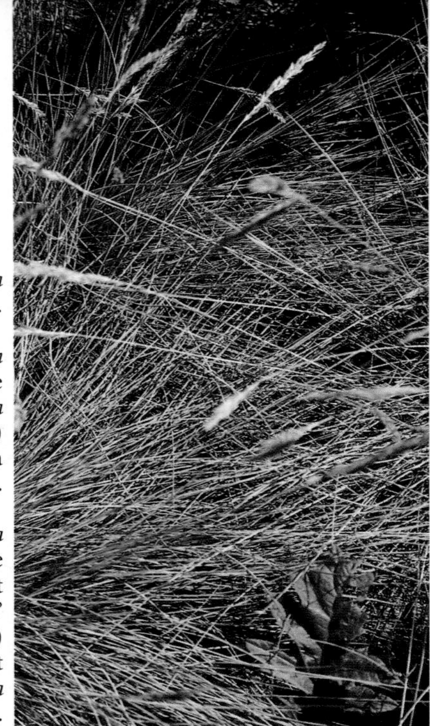

Très florifère, *Koeleria glauca* – Koelérie glauque – (Blue Hair Grass) tolère encore moins d'être plantée dans un sol fertile. Dans notre jardin, elle pousse dans le gravier pur, aux abords de l'allée de stationnement et sur une petite butte de sable. La koelérie ne vit pas plusieurs années, mais elle se ressème assez facilement d'elle-même, ce qui assure sa survivance.

L'ensemble de ces petites graminées seront en parfaite harmonie avec les iris nains, œillets, yuccas, lavandes, arabis, géraniums vivaces et rosiers miniatures. Mais pour obtenir un couvre-sol homogène au feuillage panaché dans des conditions sèches, nous recommandons la plantation de *Holcus lanatus* 'Variegatus' – (Variegated Velvet Grass).

Quatre graminées, *Sesleria autumnalis* – Seslérie – (Autumn Moor Grass) et *Sesleria caerulea* – Seslérie – (Blue

Jardin miniature très sec de *Sedum* (Orpin) et de *Sempervivum* (Joubarbe) enrichi par *Festuca glauca* (Fétuque).

Aménagement sec composé de *Festuca glauca* (Fétuque) et *Nepeta* (Herbe à chats).

Helictotrichon sempervirens (Herbe bleue) à droite et *Festuca glauca* (Fétuque) à gauche.

La grâce des inflorescences de *Pennisetum alopecuroides* comme couvre-sol.

Salvia nemorosa (Sauge) et *Achillea* x 'Schwellenburg' (Achillée) mises en valeur par *Helictotrichon sempervirens* (Herbe bleue).

Page de droite : *Helictotrichon sempervirens* (Herbe bleue) et *Perovskia atriplicifolia* (Sauge russe) dans un endroit très sec.

Moor Grass) comme *Sesleria heufleriana* et *Sesleria nitida* qui vivent bien à l'ombre sous les arbres feuillus, sont remarquables également dans des conditions ensoleillées. Elles atteignent une hauteur de 40 cm et s'associent très bien aux vivaces de même taille.

Sporobolus heterolepis – Sporobole à glumes inégales – (Prairie Dropseed), qui atteint 60 cm de hauteur, est également intéressante comme couvre-sol pour les endroits secs et ensoleillés. Cette graminée indigène au feuillage très fin peut créer des effets de texture très attrayants lorsqu'on la plante en massifs. L'inflorescence odoriférante, très belle par sa délicatesse, apparaît à l'automne. Les graines qui se déve-

Stipa capillata (Stipe) dévoile toute sa beauté.

En haut à droite : *Sesleria autumnalis* (Seslérie) en automne.

Koeleria glauca (Koelérie glauque) au printemps.

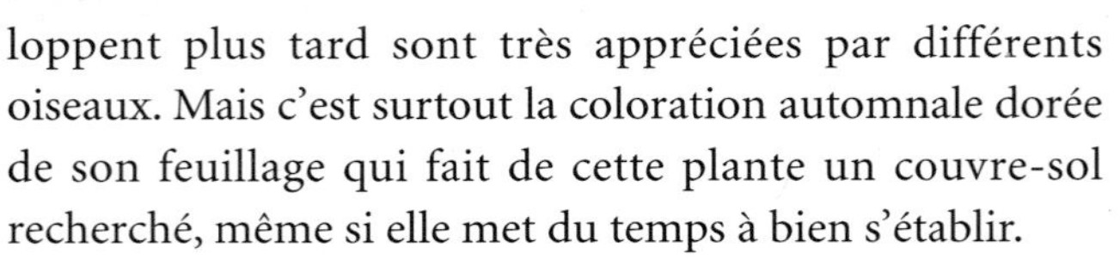

loppent plus tard sont très appréciées par différents oiseaux. Mais c'est surtout la coloration automnale dorée de son feuillage qui fait de cette plante un couvre-sol recherché, même si elle met du temps à bien s'établir.

Parmi les plantes qui aiment le soleil et supportent la sécheresse, *Helictotrichon sempervirens* – Herbe bleue – (Blue Oat Grass), *Stipa capillata* – Stipe – (Feather Grass) des prairies de l'Europe et de la Sibérie, ainsi que *Schizachyrium scoparium* – Barbon à balais – (Little Blue Stem) font partie des plantes très productives. *Helictotrichon sempervirens* (Herbe bleue) est l'une des plus gracieuses graminées qui existent. Sa hampe florale forme des pendules soutenus par une volumineuse touffe de feuilles de couleur gris bleu. Ses feuilles persistantes en hiver sont fines et retombent avec une élégance sans pareille. Sa physionomie particulière lui donne une certaine importance comme élément d'avant-plan, car elle adoucit les lignes droites d'un élément comme un mur ou une bordure de sentier. Si l'herbe bleue est plantée devant un arrière-plan foncé ou qu'on l'aperçoit à contre-jour, elle sera encore plus spectaculaire. Cette plante peut également être utilisée comme plante vedette dans les jardins ou comme plantation d'encadrement avec d'autres vivaces.

Stipa capillata (Stipe) exige un sol très bien drainé. Dans ces conditions, elle s'avère tout à fait spectaculaire. La brillance de ses inflorescences en forme de filaments argentés est incomparable, surtout chez *Stipa pennata* (Stipe). Toutes les variétés de stipes ont un feuillage très fin vert grisâtre et produisent des effets de texture très délicats.

De nombreuses vivaces requérant des conditions biophysiques similaires vivent en parfaite harmonie avec ces graminées, parmi elles : *Achillea* – Achillée – (Yarrow), *Asclepias tuberosa* – Asclépiade – (Milkweed), *Coreopsis verticillata*

Helictotrichon sempervirens (Herbe bleue).

La gloire de l'été avec *Achillea filipendula* (Achillée), *Liatris spicata* (Liatride) et *Veronica longifolia* (Véronique) entourées par différentes variétés de *Deschampsia caespitosa* (Deschampsie).

Une rose nous émerveille encore plus lorsqu'elle est entourée par un tapis de *Festuca* (Fétuque).

Un chef-d'œuvre en harmonie de couleurs : l'iris des jardins accompagné de *Festuca* (Fétuques) bleutées.

Aster ericoides (Aster) avec à sa gauche *Helictotrichon sempervirens* (Herbe bleue) et en arrière *Calamagrostis brachytricha* (Calamagrostide).

Stipa barbata (Stipe).

– Coréopsis – (Cutleaf Tickseed), *Echinops ritro* – Boule azurée – (Globe Thistle), *Eryngium* – Panicaut – (Sea Holly), *Iris germanica* – Iris des jardins – (Bearded Iris), *Kniphofia* – Tritoma – (Red Rot Poker), *Lavandula* – Lavande – (Lavander), *Nepeta faassenii* – Herbe à chats – (Catmint), *Papaver* – Pavot – (Poppy), *Perovskia atriplicifolia* – Sauge russe – (Russian Sage), *Salvia* – Sauge – (Sage), *Sedum spectabile* – (Orpin) – (Stonecrop), *Yucca* – Yucca – (Adam's Needle), tulipe, ail géant, rosiers arbustifs et arbustes conifères comme le pin mugho et le genévrier.

Parmi les graminées envahissantes, *Leymus racemosus* – Élyme – (Blue Wild Rye) supporte bien les conditions de sécheresse. Il est recommandé à cause de sa croissance traçante, tant pour l'aménagement à caractère naturel que pour la revégétalisation de sites sablonneux, secs, ensoleillés et exposés au vent. Les individus doivent être plantés à 40 cm de distance, centre à centre. L'élyme est cependant à éviter dans les petits jardins en raison de la croissance vigoureuse de ses rhizomes. La même restriction s'applique à *Pennisetum incomptum* – (Meadow Pennisetum). Même si ses panicules sont moins spectaculaires que celles de *Pennisetum alopecuroides* – (Fountain Grass), il est cependant beaucoup plus robuste et plus envahissant. Cette plante au feuillage fin vert bleuté peut être considérée comme une alternative à *Leymus.* Elle demande cependant un sol fertile et humide et résiste moins bien à la sécheresse.

Voilà quelques principes de composition permettant d'utiliser les graminées comme couvre-sol dans un jardin.

CHAPITRE 4

LES GRAMINÉES AU JARDIN

Plantes vedettes et formation de massifs

Calamagrostis brachytricha (Calamagrostide).

Calamagrostis brachytricha (Calamagrostide) dans un jardin terrasse.

Page de droite : une coulée de *Coreopsis verticillata* 'Moonbeam' (Coréopsis) avec *Calamagrostis acutiflora* 'Karl Foerster' (Calamagrostide) à gauche et *Helictotrichon sempervirens* (Herbe bleue) à droite.

UNE PLANTE VEDETTE EST LE POINT FOCAL D'UN AMÉNAGEMENT, qui domine, visuellement, au cours des saisons ou pendant sa fleuraison. Les massifs sont des plantations formées d'un groupement de plantes disposées de façon à créer des masses et des volumes de verdure aux couleurs et aux textures homogènes. Les graminées ornementales se prêtent à l'un ou à l'autre de ces modes d'utilisation, ou même aux deux, selon leurs caractéristiques. Pour faciliter la description de leur potentiel, nous les avons classées en trois groupes : les graminées de hauteur petite et moyenne (moins de 100 cm) ; les graminées hautes (100 à 150 cm) et les graminées géantes (plus de 150 cm).

LES GRAMINÉES PETITES ET MOYENNES (MOINS DE 100 CM)

Alopecurus pratensis 'Aureus'

Arrhenatherum elatius subsp. *bulbosum* 'Variegatum'

Briza media

Bromus inermis 'Skinner's Gold'

Carex buchananii

Chasmanthium latifolium

Deschampsia caespitosa (toutes les variétés sauf *D. c.* 'Tardiflora')

Hakonechloa macra 'Aureola'

Helictotrichon sempervirens

Hystrix patula

Imperata cylindrica 'Red Baron'

Koeleria glauca

Melica transsilvanica

Miscanthus sinensis 'Adagio'

Miscanthus sinensis 'Dixieland'

Miscanthus sinensis 'Hermann Muessel'

Miscanthus sinensis 'Morning Light'

Miscanthus sinensis 'Puenktchen'

Miscanthus sinensis 'Rigoletto'

Miscanthus sinensis 'Sioux'

Miscanthus sinensis 'Yaku Jima'

Molinia caerulea (toutes les variétés sauf *M. c.* 'Heidebraut')

Panicum virgatum 'Rotstrahlbush'

Panicum virgatum 'Shenandoah'

Pennisetum alopecuroides

Schizachyrium scoparium *(Andropogon scoparius)*

Sporobolus heterolepis

Stipa barbata

Stipa capillata

Stipa pennata

Stipa pulcherrima

Certaines espèces de graminées ornementales se prêtent parfaitement à la fonction de plante vedette dans la composition d'un aménagement paysager. Les spécimens les plus attrayants et les plus connus à cette fin sont très différents les uns des autres. Voyons d'abord les plantes petites et moyennes.

Jardin public avec *Miscanthus sinensis* (Roseau de Chine).

Dans ce groupe, *Pennisetum alopecuroides* – (Fountain Grass) est l'une des graminées ornementales les plus recherchées pour la beauté de la fontaine que constitue sa touffe vigoureuse de feuilles étroites vert grisâtre. Les épis cylindriques bruns à pointe blanche, qui rappellent une queue d'écureuil, sont gracieux et très décoratifs. La variété 'Hameln', plus hâtive, produit de nombreux épis et atteint une hauteur de 40 cm. Cette variété est moins fragile que l'espèce aux rigueurs de l'hiver. Planté individuellement ou en massifs à 40 cm de distance, centre à centre, *Pennisetum* demande un sol fertile et un emplacement ensoleillé mais protégé du vent. Il ne tolère ni la sécheresse ni l'humidité excessive, et demande une bonne couverture de neige en hiver. Il est même recommandé de protéger l'espèce pendant la saison froide.

Le jardinier sera ébloui par les effets ornementaux étonnants produits par cette graminée. Au petit matin, de petites gouttelettes de rosée s'attachent aux épis comme des diamants scintillants. La forme retombante des feuilles et des épis de

Pennisetum produit un contraste intéressant lorsqu'elle est juxtaposée à un arrière-plan constitué d'un massif dense de graminées plus hautes, par exemple *Calamagrostis acutiflora* 'Karl Foerster' – Calamagrostide à fleurs étroites – (Feather Reed Grass). Une attention particulière doit être portée à *Pennisetum setaceum* 'Rubrum' – (Purple Fountain Grass), très attrayant et par conséquent très recherché pour la beauté de sa forme et de son coloris rouge pourpré. Cette plante n'est pas rustique sous notre climat et doit être utilisée ici comme une plante annuelle.

Les touffes de feuilles étroites très fines d'un vert grisâtre de *Stipa barbata* – Stipe – (Feather Grass), *Stipa capillata* – Stipe de Sibérie – (Feather Grass), *Stipa pennata* – Stipe – (European Feather Grass) et *Stipa pulcherrima* – Stipe – (Feather Grass) se révèlent extrêmement attrayantes lorsqu'elles sont plantées en petits massifs, par exemple devant un groupe de conifères. La première présente des épis décorés de longues barbes brillantes hérissées alors que celles des deux autres sont longues, souples et soyeuses. Les stipes demandent le plein soleil et peuvent atteindre 100 cm de hauteur dans un sol normal et bien drainé. Elles tolèrent très bien la sécheresse et s'adaptent bien aux sols sablonneux et rocailleux. On les plante à 40 ou 50 cm de distance, centre à centre.

Originaire des prairies sèches et pauvres, la graminée indigène *Schizachyrium scoparium (Andropogon scoparius)* – Barbon à balais – (Little Blue Stem), est une plante à la fois robuste et gracieuse. Elle atteint 75 cm de hauteur et ses tiges sont bien solides, ce qui lui donne un port vertical assez stable. La texture de la plante est fine avec une hampe florale très étroite en vert ou vert bleuté tirant sur le rouge en automne. En effet, la plante entière prend alors la coloration intense et remarquable orange foncé et même pourpre. Cette graminée se marie merveilleusement avec les différentes tonalités de jaune et de rouge de nos fleurs sauvages comme dans une petite prairie fleurie. Elle met en valeur d'autres plantes indigènes ou florifères à caractère sauvage, comme les rudbeckias et les coréopsis. Il existe aussi des sélections de plantes au feuillage bleuté et rougeâtre. C'est certainement une plante très recommandée pour l'aménagement de terrains dont le sol est pauvre et sec.

Imperata cylindrica 'Red Baron' – (Japanese Blood Grass) est une plante bien particulière à cause de la couleur rouge sang de son feuillage. D'une beauté inusitée, on la remarque à des dizaines de mètres en raison de sa couleur. Cette graminée de croissance lente atteint 35 cm de hauteur. La distance de plantation recommandée est de 25 cm, centre à centre. Elle préfère un endroit ensoleillé et un sol riche en matière organique, assez humide mais bien drainé. Comme elle est sensible au froid, il faut donc l'installer dans un endroit où la neige se dépose en abondance et la protéger des vents hivernaux. Nous recommandons de lui donner une protection additionnelle pendant l'hiver.

Les *Molinia caerulea* 'Strahlenquelle' et 'Dauerstrahl' – Molinie – (Moor Grass) sont des graminées magnifiques destinées à être utilisées comme plantes

Les bonnes sélections de *Schizachyrium scoparium* (Schizachyrium à balais) restent debout même en hiver.

Stipa pulcherrima (Stipe), une beauté éphémère.

vedettes, par leur forme très droite (érigée) mais légèrement évasée et par leur fine texture. On les utilise en massifs pour accompagner des hémérocalles miniatures, des petits asters et d'autres plantes vivaces de la même taille, soit environ 45 et 60 cm, respectivement. Constituées d'une jolie touffe de fines feuilles vert foncé, elles ont également leur place dans des combinaisons spéciales de conifères nains et d'autres graminées basses ou avec des roses tapissantes. Elles affichent des hampes droites et un peu évasées ainsi que des épis raides dans une tonalité brunâtre en été et dorée à l'automne. Ces plantes demandent du soleil et préfèrent un sol frais à l'humidité modérée et riche en matière organique. La distance de plantation recommandée est de 30 cm et 40 cm, respectivement, centre à centre. Les plus petites variétés de *Molinia,* dont 'Overdam' avec 25 cm de haut et 'Moorhexe', avec 30 cm de haut, accompagnent bien les petites vivaces florifères comme les campanules tapissantes.

Plus petite, avec des inflorescences ramifiées en forme de pendule, *Briza media* – Brize – (Common Quaking Grass) peut atteindre 60 cm de hauteur. Son feuillage vert foncé atteint 25 cm et ses épillets en forme de petits cœurs beige clair tremblent gracieusement au moindre souffle de la brise. Originaire des prairies humides, elle a besoin de soleil ainsi que d'un sol riche et humide. Elle peut tolérer la sécheresse pour une courte période de temps. La distance de plantation est de 30 cm, centre à centre.

Hystrix patula – Hystrix étalé – (Bottle Brush Grass) est une plante à touffe étroite dressée et aux feuilles larges vert foncé plus ou moins attrayantes. Son inflorescence, constituée d'épis dressés raides et érigés en forme de brosse à bouteille, est particulière et intéressante tant par sa forme que par sa texture. Elle atteint 90 cm de hauteur, à la mi-ombre ou au soleil, dans un sol humide et riche en matière organique. Elle s'adapte également aux conditions sèches à la mi-ombre.

Toujours pour les endroits humides, nous suggérons *Chasmanthium latifolium* – (Northern Sea Oats) qui, avec ses feuilles très larges et d'un vert foncé brillant, rappellent les petits bambous. Son inflorescence formée d'épis retombants et d'épillets aplatis bruns en forme de gouttelettes est d'une grâce sans égale, tant dans le jardin que dans les bouquets de fleurs coupées. Cette plante exige un sol frais, humide et riche en matière organique. Il est préférable de la placer à l'ombre ou à

Molinia c. 'Strahlenquelle' (Molinie).

Briza media (Brize).

Chasmanthium latifolium.

la mi-ombre, mais dans un endroit abrité des vents. Dans ces conditions, elle peut atteindre 100 cm de hauteur, un avantage pour la plantation isolée ou en massifs avec des arbustes. Elle tolère le soleil à condition que l'endroit où on l'installe soit humide et protégé des vents froids, mais sa hauteur sera alors moindre qu'à l'ombre (60 à 80 cm) et la tonalité de ses feuilles sera plus pâle. La distance de plantation recommandée pour cette plante est de 40 cm, centre à centre.

Deschampsia caespitosa 'Goldgehänge' (Deschampsie) à droite comme plante vedette à l'ombre.

Helictotrichon sempervirens (Herbe bleue) en vedette dans un aménagement de toit terrasse.

Molinia c. 'Variegata' (Molinie).

Les différentes variétés de *Deschampsia caespitosa* – Deschampsie – (Tufted Hair Grass) recommandées comme couvre-sol pour l'ombre sont également très attrayantes comme plante vedette. La variété la plus haute, *Deschampsia caespitosa* 'Tardiflora', est celle qui possède le plus grand potentiel parce que c'est la plus haute des deschampsies.

Plusieurs graminées à feuilles bleuâtres peuvent être plantées avec profit dans les endroits ensoleillés et secs. Parmi elles, la petite *Koeleria glauca* – Koelérie glauque – (Large Blue Hair Grass) offre une fleuraison remarquable, plus intense que celle des fétuques. Pour que la koelérie glauque demeure une plante attrayante, il est recommandé de la diviser et de la transplanter tous les trois ans environ. Cela lui permet de garder sa belle apparence. Comme elle ne supporte pas les sols riches, il faut prévoir une terre sablonneuse bien drainée et relativement pauvre. Elle constitue une plante vedette inusitée pour des aménagements miniatures.

Helictotrichon sempervirens – Herbe bleue – (Blue Oat Grass), déjà mentionné comme plante couvre-sol pour les endroits secs et ensoleillés, constitue également une magnifique plante vedette en raison de son port très gracieux, de son fin feuillage bleuté et de ses panicules arquées dorées. La variété 'Saphirsprudel' possède un feuillage d'un bleu magnifique.

Melica transsilvanica – Mélique – (Melic) est une plante d'apparence délicate qui s'intègre bien comme plante vedette à l'intérieur d'un aménagement composé de fleurs champêtres. Même chose pour la graminée indigène

Koeleria glauca (Koelérie glauque) et *Aster panos* 'Snow Flurry' (Aster).

Melica transsilvanica (Mélique) retombant sur un bain d'oiseaux.

Sporobolus heterolepis – Sporobole à glumes inégales – (Prairie Dropseed), dont les délicates panicules attirent notre regard.

Hakonechloa macra 'Aureola' – Herbe du Japon – (Hakone Grass), qui possède un feuillage très délicat, est une plante panachée très spéciale qui peut servir de plante vedette. Elle sera davantage mise en valeur si on la place à l'avant-plan avec différentes variétés de hostas à feuilles larges et bleutées. *Hakonechloa* devrait avoir une place privilégiée dans les endroits ombragés du jardin en raison de sa grande beauté. Elle produit des effets remarquables une fois agencée à d'autres vivaces.

Chez les graminées au feuillage coloré, on gagne à mettre en évidence *Carex buchananii* – Laîche – (Leatherleaf Sedge), dont les feuilles sont brunes. D'autres graminées aux feuilles panachées méritent également une attention toute spéciale, par exemple *Alopecurus pratensis* 'Variegatus' – Vulpin des prés – (Meadow Foxtail) et *Bromus inermis* 'Skinner's Gold' – Brome inerme Skinner's Gold – (Golden Brome Grass). En revanche, le feuillage argenté d'*Arrhenatherum elatius* subsp. *bulbosum* 'Variegatum' – Arrhénanthère bulbeuse – (Tuber Oat Grass), très beau jusqu'au milieu de l'été, devient disgracieux à la fin de la saison. Attention! cette dernière est envahissante.

La variété *Panicum virgatum* 'Rotstrahlbusch' est garnie d'un feuillage et d'inflorescences aux teintes rouges et un peu translucides, ce qui s'avère intéressant pour l'utilisation comme plante vedette entre des plantes plus petites. Elle atteint une hauteur d'environ 90 à 100 cm. *Panicum virgatum* 'Shenandoah' est encore plus rouge. Ces deux variétés sont des solutions de remplacement tout à fait intéressantes quant

Le feuillage de *Panicum virgatum* 'Rotstrahlbusch' (Panic raide) en automne.

Massifs de *Panicum v.* 'Squaw' (Panic raide) en avant-plan et *Panicum v.* 'Rotstrahlbusch' (Panic raide) devant un groupe d'*Heliopsis helianthoides* (Héliopside).

au fragile *Imperata cylindrica* 'Red Baron', car elles sont plus rustiques que cette dernière.

Même *Miscanthus sinensis* – Roseau de Chine – (Japanese Silver Grass), reconnu comme le géant parmi les graminées, offre des variétés appartenant au groupe des plantes basses. Toute une série de variétés miniatures ont été développées uniquement pour permettre l'introduction de ces graminées fabuleuses dans de plus petits jardins.

Parmi ces variétés naines, *Miscanthus sinensis* 'Yaku Jima', qui est originaire de l'île japonaise du même nom. Une forme améliorée, la variété 'Adagio', ainsi que les variétés 'Hermann Muessel' et 'Sioux' sont les plus petits *Miscanthus*, n'atteignant que 90 à 100 cm de hauteur. Cela peut paraître étonnant, mais ce sont tout de même de vrais *Miscanthus* et ils possèdent les caractéristiques florales des variétés géantes. La variété 'Sioux' est d'abord appréciée pour son feuillage gracieux et rougeâtre.

À gauche : *Miscanthus sinensis* 'Puenktchen' (Roseau de Chine).

Ci-contre : *Miscanthus s.* 'Morning Light' (Roseau de Chine) à l'automne, une des variétés au feuillage le plus fin.

Les variétés panachées comme 'Puenktchen' constituent aussi une nouvelle forme compacte de *Miscanthus* avec, sur leur feuillage, un dessin semblable à celui de *Miscanthus sinensis* 'Zebrinus'. *Miscanthus sinensis* 'Morning Light' rappelle *Miscanthus sinensis* 'Gracillimus', tant en ce qui concerne sa forme que sa texture. Cependant, ses fines feuilles à marges blanches présentent un attrait spécial. À l'automne, son feuillage s'enroule comme celui de la variété 'Gracillimus', arborant quelques tiges pourpres. Il est rustique au Québec, mais il pousse lentement, ce qui le rend intéressant pour les petits jardins. Plus spectaculaires que ce dernier, *Miscanthus sinensis* 'Dixieland' et 'Rigoletto' affichent de larges bandes blanches qui ornent ses feuilles. Ces variétés plus fragiles doivent être plantées dans un endroit protégé des vents et où s'accumulera une bonne couverture de neige.

LES GRAMINÉES HAUTES (100 À 150 CM)

Calamagrostis acutiflora 'Karl Foerster'
Calamagrostis acutiflora 'Overdam'
Calamagrostis brachytricha
Deschampsia caespitosa 'Tardiflora'
Miscanthus sinensis 'Blondo'
Miscanthus sinensis 'Ghana'
Miscanthus sinensis 'Goldfeder'
Miscanthus sinensis 'Gracillimus'
Miscanthus sinensis 'Graziella'
Miscanthus sinensis 'Kleine Fontäne'
Miscanthus sinensis 'Kleine Silberspinne'
Miscanthus sinensis 'Nippon'
Miscanthus sinensis 'Sarabande'
Miscanthus sinensis 'Strictus'
Miscanthus sinensis 'Variegatus'
Molinia caerulea 'Heidebraut'
Panicum virgatum 'Heavy Metal'
Panicum virgatum 'Prairie Sky'
Panicum virgatum 'Squaw'
Panicum virgatum 'Strictum'
Spodiopogon sibiricus

Dans le groupe des graminées hautes, nous allons considérer celles qui atteignent jusqu'à environ 150 cm de hauteur.

Molinia caerulea 'Heidebraut' – Molinie pourpre – (Purple Moor Grass) est une très belle graminée, principalement comme plante isolée, en raison de son port érigé et de sa texture fine. Cette molinie sera en parfaite harmonie plantée en massifs pour encadrer des rudbeckias et des monardes, ou d'autres plantes de taille similaire. Sa taille d'environ 90 cm et ses fines feuilles vert foncé rendent cette plante intéressante à côté des roses arbustives à forte croissance. Ses hampes sont dorées à l'automne. Cette plante demande du soleil et préfère un sol frais à l'humidité modérée et riche en matière organique. La distance de plantation recommandée est de 50 cm, centre à centre.

Spodiopogon sibiricus – (Siberian Graybeard) est une plante dressée recherchée pour ses larges feuilles au port horizontal rappelant de petits bambous. Au printemps, ses feuilles d'un vert clair brillant créent un véritable éclat de lumière dans le jardin. Comme elle adopte une belle coloration pourpre en automne, cette plante obtient un grand succès comme plante vedette pendant toute l'année. L'inflorescence est élancée,

les épis ramifiés dans des tons de brun rougeâtre. Cette belle touffe aux tiges rigides et aux feuilles courtes qui lui donnent l'air d'un petit bambou atteint environ 150 cm de hauteur. Elle préfère le soleil mais peut tolérer la mi-ombre. Le sol doit être riche en matière organique et bien drainé. Une variété aux épis plus foncés, 'West Lake', atteint 180 cm de haut et a un port moins droit.

Les tiges et les épis floraux de *Calamagrostis acutiflora* 'Karl Foerster' – Calamagrostide – (Feather Reed Grass) sont quant à eux parfaitement droits. En effet, c'est la plus droite de toutes les graminées, ce qui la rend très utile dans l'implantation de haies d'herbes décoratives parce qu'elle fleurit en été. Dans les petits jardins, cette plante peut être plantée individuellement comme point focal. Cependant, le potentiel le plus intéressant de cette plante reste les effets spéciaux qu'elle produit en massifs dans les grands espaces. Elle peut former des masses de tiges denses et colorées de beige et de vert qui peuvent atteindre jusqu'à 150 cm de hauteur. Ces massifs peuvent constituer des arrière-plans ou des écrans visuels. Pour obtenir cet effet, les calamagrostides seront plantés en deux rangées, en quinconce à 75 cm de distance, centre à centre, et placées derrière des fleurs comme les *Achillea filipendula* – Achillée – (Yarrow), les *Rudbeckia* – Rudbeckia- (Black-Eyed Susan), les *Anemone tomentosa* 'Robustissima' – Anémone japonaise – (Japanese Anemone), les *Delphinium* – Pied-d'alouette – (Larkspur) ou les *Aster novae-angliae* – Aster de la Nouvelle-Angleterre – (New-England Aster).

Calamagrostis brachytricha – Calamagrostide – (Korean Feather Reed Grass) est une plante intéressante dans la composition de jardins de graminées parce qu'elle

Terrasse encadrée par *Calamagrostis acutiflora* 'Karl Foerster' (Calamagrostide).

Deschampsia caespitosa 'Goldgehänge' à droite et 'Tauträger' derrière (Deschampsie).

En avant : *Calamagrostis acutiflora* 'Overdam' (Calamagrostide) avec *Miscanthus purpurascens* (Roseau) à droite et *M. s.* 'Silberfeder' à gauche, au parc Marie-Victorin.

Deschampsia c. 'Tardiflora' (Deschampsie) est assez haute pour accompagner les lys.

Calamagrostis brachytricha (Calamagrostide) comme gracieuse plante vedette dans un aménagement sur un toit.

est l'une des premières à fleurir, au mois de juin. Très gracieux, il lance vers le ciel un grand nombre d'épis qui arborent des teintes de brun mauve durant tout l'été et deviennent beiges à l'automne. Ces hampes florales denses s'avèrent très décoratives au début de septembre. Cette plante d'une élégance extrême atteint environ 90 cm de hauteur et attire le regard parmi d'autres vivaces. Elle pousse bien dans les endroits ensoleillés et dans un sol ordinaire sablonneux ou rocailleux. Comme les stipes, cette graminée tolère très bien la sécheresse ; elle est donc très recommandée pour les jardins à entretien minimal. *Calamagrostis brachytricha* est l'une des rares graminées d'une telle hauteur qui pousse aussi bien à l'ombre qu'au soleil. Lorsqu'il est planté en massifs, il se montre particulièrement utile pour agrémenter les fleurs de la fin de l'été et de l'automne comme les rudbeckias, les asters, les physostégies et les galanes.

Les nombreuses variétés de *Panicum virgatum* (Panic raide) – (Switch Grass) sont très intéressantes en raison de la diversité de couleurs qu'elles offrent. L'espèce, indigène au Québec, se caractérise par une inflorescence à la texture très fine aux tons de brun, de mauve et de vert qui peut atteindre 175 cm. Lorsqu'elle est plantée en massifs, ses épillets fins produisent l'effet d'un véritable nuage en filigrane flottant au-dessus de son feuillage. Il constitue ainsi un arrière-plan magnifique mettant en valeur les fleurs des vivaces. Le panic raide s'harmonise avec toutes les fleurs vivaces d'une taille semblable ou un peu plus petite. La variété *Panicum virgatum* 'Strictum', de 175 cm de hauteur, a l'avantage de se tenir à la verticale plus facilement que l'espèce.

Helenium autumnale (Hélénie) est associé à *Calamagrostis acutiflora* 'Karl Foerster' (Calamagrostide).

Le panic raide peut pousser dans différentes conditions de sol et d'ensoleillement. Il tolère la sécheresse et supporte les lieux humides, ce qui lui donne une amplitude écologique rare et, par conséquent, une diversité d'utilisation tout à fait remarquable.

Panicum virgatum 'Squaw' est une variété très intéressante pour obtenir un effet de brume teintée. Son feuillage dense vert foncé aux teintes de rouge et son inflorescence rougeâtre sont particulièrement visibles à une très grande

Panicum virgatum 'Heavy Metal' (Panic raide).

La lumière captée par *Miscanthus s.* 'Gracillimus' (Roseau de Chine) et *Rudbeckia nitida* (Rudbeckia) rend cette charmante composition presque magique.

distance, ce qui constitue un avantage dans la plantation en massifs. Cette variété monte presque aussi haut que l'espèce, puisqu'il peut atteindre 150 cm.

Mais de toutes les variétés, celle qui impressionne le plus est *Panicum virgatum* 'Heavy Metal', qui fait 150 cm de hauteur et dont les tiges érigées très rigides et les feuilles arborent une teinte bleutée saisissante, tandis que l'inflorescence prend des tons de mauve. Cette variété peut produire des contrastes étonnants derrière un massif de *P. v.* 'Rotstrahlbusch'. La variété *P. v.* 'Heavy Metal' met également en valeur les plantes aux fleurs roses, blanches ou jaunes. Elle s'harmonise bien avec des plantes au feuillage gris bleu.

Une autre variété au feuillage bleuté complète cette collection ; il s'agit de *Panicum virgatum* 'Prairie Sky', qui est plus petit que la variété *P. v.* 'Heavy Metal' et dont le port est légèrement évasé.

Les variétés de *Miscanthus sinensis* – Roseau de Chine – (Japanese Silver Grass) qui atteignent entre 100 cm et 150 cm de hauteur possèdent toutes un feuillage très fin et

Miscanthus s. 'Kleine Fontäne' (Roseau de Chine).
Miscanthus s. 'Kleine Silberspinne' (Roseau de Chine) comme plante vedette.

attrayant. Très apprécié, *Miscanthus sinensis* 'Gracillimus' – Roseau de Chine – (Japanese Silver Grass) forme une belle touffe au feuillage vert clair. Cette variété est la plus gracieuse des variétés de *Miscanthus,* mais il lui faut une bonne couverture de neige pour résister aux rigueurs de l'hiver. Son élégance compense pour le fait qu'il ne fleurit presque pas. En effet, cette variété produit ses plumes trop tard en automne pour qu'elles puissent éclore dans toute leur beauté. C'est pour cette raison que d'autres variétés florifères ont été introduites sur le marché afin de la remplacer.

Miscanthus sinensis 'Graziella' est la plante la plus remarquable de ce groupe. Sa taille compacte, n'excédant pas 150 cm de hauteur et 70 cm de diamètre, favorise son utilisation dans les aménagements d'espaces restreints, comme plante vedette ou encore pour créer un point focal dans les petits espaces. Il offre une fleuraison plus hâtive et un feuillage presque aussi élégant que celui de *Miscanthus sinensis* 'Gracillimus'. Du même type, *Miscanthus sinensis* 'Sarabande' produit des feuilles aussi étroites que celles de *Miscanthus sinensis* 'Gracillimus', mais avec des inflorescences roses. Elles deviennent des plumes argentées aussitôt que les graines sont mûres.

Miscanthus sinensis 'Kleine Silberspinne', qui se traduit par « petite araignée argentée », est une plante basse et très gracieuse d'une hauteur de 150 cm. Ses plumes ressemblent à un filigrane d'argent et ses feuilles sont étroites et argentées. De hauteur similaire, mais avec un feuillage plus souple, *Miscanthus sinensis* 'Kleine Fontäne' est apprécié pour sa fleuraison très hâtive au mois d'août ; il est le seul *Miscanthus* à commencer à fleurir en plein été. Le port de la plante rappelle une vraie fontaine avec ses plumes sortant gracieusement de leur couronne de feuilles, prenant la forme de jets d'eau de 150 cm de hauteur. Ses magnifiques hampes florales soyeuses et argentées se renouvellent continuellement jusqu'au début de l'automne. *Miscanthus sinensis* 'Nippon' se fait apprécier grâce à son port érigé, à sa texture fine et à sa coloration pourpre en automne.

Miscanthus sinensis 'Blondo' est pour sa part une variété développée au Nebraska ; elle est donc dotée d'une bonne résistance au froid dans nos régions. Son grand atout est de posséder un feuillage très large qui lui confère une texture particulière. Si l'on recherche plutôt des plantes qui changent de couleur, nous recommandons deux variétés de *Miscanthus sinensis,* soit 'Ghana' et 'Ferner Osten'. Développées en Allemagne, elles ont pour caractéristique principale un feuillage qui prend à l'automne une coloration bourgogne tout à fait spectaculaire.

Miscanthus sinensis 'Strictus' (Roseau de Chine) en compagnie d'hémérocalles.

Miscanthus sinensis 'Variegatus' (Roseau de Chine).

Pour sa part, *Miscanthus sinensis* 'Goldfeder', mutation spontanée (sport) de la variété très connue 'Silberfeder', affiche des bandes dorées au centre de ses feuilles. Pour cette raison, la variété 'Goldfeder' est considérée comme unique en son genre. C'est une plante à croissance lente qui offre un intérêt pour les petits jardins bien ensoleillés.

Parmi les graminées panachées, *Miscanthus sinensis* 'Strictus' est celui qui résistera le mieux à l'hiver. Il atteint une hauteur maximale de 150 cm, a un port érigé et paraît plus rigide, mais il est très semblable à *Miscanthus sinensis* 'Zebrinus'. Tous deux conserveront leur feuillage vert et jaune très longtemps, même avec les premiers gels du mois d'octobre.

Miscanthus sinensis 'Variegatus' est l'un des plus appréciés parmi les graminées panachées, car ses lignes blanc crème le long de chaque feuille procurent un effet de lumière extraordinaire au jardin si on l'associe à des plantes au feuillage foncé. Cette plante devrait cependant être utilisée comme plante vedette dans un endroit très ensoleillé et bien protégé des vents forts de l'hiver, puisqu'elle est moins rustique que les variétés au feuillage vert.

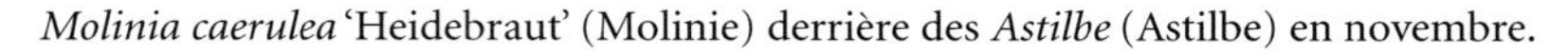

Molinia caerulea 'Heidebraut' (Molinie) derrière des *Astilbe* (Astilbe) en novembre.

LES GRAMINÉES GÉANTES (150 CM ET PLUS)

Andropogon gerardii
Miscanthus giganteus
Miscanthus purpurascens
Miscanthus sacchariflorus
Miscanthus sinensis 'Autumn Light'
Miscanthus sinensis 'Berlin'
Miscanthus sinensis 'Flamingo'
Miscanthus sinensis 'Giraffe'
Miscanthus sinensis 'Goliath'
Miscanthus sinensis 'Kaskade'
Miscanthus sinensis 'Malepartus'
Miscanthus sinensis 'November Sunset'
Miscanthus sinensis 'Positano'
Miscanthus sinensis 'Roland'
Miscanthus sinensis 'Silberfeder'
Miscanthus sinensis 'Silberpfeil'
Miscanthus sinensis 'Silberturm'
Miscanthus sinensis 'Sirene'
Miscanthus sinensis 'Undine'
Miscanthus sinensis 'Zebrinus'
Molinia caerulea subsp. *arundinacea* 'Cordoba'
Molinia caerulea subsp. *arundinacea* 'Skyracer'
Molinia caerulea subsp. *arundinacea* 'Transparent'
Molinia caerulea subsp. *arundinacea* 'Windspiel'
Panicum virgatum 'Cloud Nine'
Sorghastrum nutans
Sorghastrum nutans 'Sioux Blue'

Les graminées dites géantes sont celles qui poussent au-delà de 150 cm de hauteur; certaines d'entre elles peuvent atteindre 250 cm et plus. L'intérêt de ces plantes pour l'aménagement paysager vient de leur capacité de répondre à la fois à des objectifs fonctionnels et à des considérations esthétiques. La fonction la plus courante d'un massif constitué de graminées d'une telle hauteur est celle de l'écran. Ces écrans peuvent cacher une vue durant l'été et à l'automne tout en créant des effets visuels très esthétiques. En hiver, cet écran sert à faire en sorte que la neige s'accumule tout autour. En revanche, l'usage de ces plantes dans un but strictement esthétique se traduit principalement par la plantation de spécimens isolés qui jouent en général le rôle de plante vedette ou de point focal.

En haut à gauche : écran composé de *Miscanthus s.* 'Goliath' (Roseau de Chine).

Ci-dessus : *Andropogon gerardii* (Barbon de Gerard) en automne.

Miscanthus purpurascens (Roseau) comme écran qui persiste en hiver.

Page de droite : la poésie et la grâce de *Miscanthus s.* 'Gracillimus' (Roseau de Chine).

Dans le groupe des graminées géantes, *Andropogon gerardii* – Barbon de Gerard – (Big Blue Stem) est la plus majestueuse des graminées de la prairie de l'Amérique du Nord. Son feuillage est vert bleuté durant l'été et rougeâtre en automne. De port érigé, il peut atteindre 180 cm de hauteur et plus, à condition qu'on le place en plein soleil dans un sol riche et bien drainé. Son inflorescence est constituée de jolis épis argentés de 5 à 6 cm de long et agrémentés de nombreux cheveux rattachés aux épillets. Cette plante est utilisée comme spécimen isolé ou en petits massifs, créant ainsi un point focal dans chaque aménagement.

Panicum virgatum 'Cloud Nine' – Panic raide – (Switch Grass) peut atteindre plus de 200 cm de hauteur pendant la fleuraison. Ses feuilles affichent un vert glauque argenté. Il n'exige aucun soin particulier et poussera bien dans un sol pauvre et sec, ce qui lui permet de garder son port bien droit malgré sa hauteur. Cette particularité contribuera à mettre d'autres vivaces en valeur dans les aménagements à entretien minimal qui ne nécessitent ni arrosage ni fertilisation.

Sorghastrum nutans – Faux sorgho penché – (Nodding Indian Grass) *(Chrysopogon nutans)* est une autre graminée imposante indigène en Amérique du Nord. Ses inflorescences attirent particulièrement le regard quand les nombreuses anthères jaune brillant sortent, créant un décor unique. Son feuillage bleuté est encore plus remarquable à ce moment dans la variété 'Sioux Blue'.

La grande *Molinia caerulea* subsp. *arundinacea* – Molinie géante – (Tall Purple Moor Grass) peut constituer un attrait intéressant dans un aménagement. Son inflorescence semi-transparente, son port évasé ainsi que sa taille impressionnante font de cette plante un spécimen très avantageux à combiner avec des arbustes. Elle peut être utilisée également comme plante vedette de massifs floraux plus bas constitués d'hémérocalles, de rudbeckias et de couvre-sol divers comme les géraniums vivaces. On peut même l'associer aux graminées utilisées comme couvre-sol.

À l'automne, la molinie prend une couleur jaune doré très attrayante, ce qui met en valeur la beauté de sa forme. Trois variétés sont à retenir particulièrement : *Molinia*

Panicum virgatum 'Cloud Nine' (Panic raide).
Molinia a. 'Skyracer' (Molinie) en novembre.

Molinies en juillet.

Molinies en septembre.

Molinies en décembre.

Molinia a. 'Skyracer' (Molinie géante) et *Aster novae-angliae* (Aster de la Nouvelle-Angleterre).

Molinia a. 'Transparent' (Molinie) comme plante vedette en octobre.

caerulea subsp. *arundinacea* 'Skyracer' dont les tiges florales sont évasées et rectilignes, créant ainsi des effets de rideau semi-transparent en été et de feu d'artifice doré à l'automne ; *Molinia caerulea* subsp. *arundinacea* 'Windspiel', aux tiges florales également évasées mais arquées, ce qui produit un effet de fontaine végétale, et *Molinia caerulea* subsp. *arundinacea* 'Transparent', qui est moins haute que les deux autres. La nouvelle variété dense et moins 'Cordoba' atteint la même hauteur que ces dernières, mais sa hampe florale est plus dense et plus compacte, ce qui lui donne une apparence plus fournie que les autres.

Tard en automne, plusieurs espèces d'oiseaux granivores sont attirées par ces molinies. Elles deviennent un véritable centre d'attraction lorsque les oiseaux y donnent un spectacle d'équilibristes, se balançant accrochés aux hampes pleines de graines.

Mais la plus belle et la plus riche des espèces du groupe des graminées géantes est sans doute *Miscanthus* – Roseau – (Japanese Silver Grass), parent de la canne à sucre, qui résiste à nos hivers. Cette graminée est originaire des prairies asiatiques. Les nombreuses variétés offertes sur le marché, et d'autres encore en développement, font de cette

Jardin de *Miscanthus s.* (Roseau de Chine) au Sam Lawrence Park de Hamilton, en Ontario.

espèce un élément indispensable dans la composition d'un jardin de graminées. Il n'existe actuellement aucune autre graminée ayant autant d'hybrides sélectionnés. La grande valeur décorative qu'elle possède grâce à son port dressé, à l'exubérance de son feuillage et à ses plumes soyeuses, lui permet de dominer visuellement l'espace. Les teintes du feuillage varient du vert clair au vert foncé pourpré. Les teintes de ses plumes spectaculaires varient également, allant de l'argenté au cuivré en passant par le doré. L'inflorescence des *Miscanthus* persiste durant l'hiver lorsque les plantes ne sont pas exposées aux vents forts. Cette plante offre au concepteur de jardins la possibilité de créer des effets saisissants par la combinaison de textures ou de formes avec les autres graminées.

Miscanthus pousse bien dans un sol normal et dans un endroit bien ensoleillé. Il peut aussi croître dans un sol peu fertile et supporte la sécheresse pour une période limitée. Il se montrera cependant plus vigoureux dans un sol normal limoneux riche ou argileux. Il résiste au vent et pousse très bien au bord de l'eau. Les *Miscanthus* sont

Miscanthus s. 'Goliath' (Roseau de Chine) au centre, comme plante vedette.
Page de droite : la splendeur des grands *Miscanthus s.* (Roseau de Chine) exotiques et si fascinants.

généralement vulnérables à la pourriture causée par l'accumulation d'eau autour de la plante. Les périodes les plus critiques surviennent quand la surface du sol est trop humide lors d'un dégel pendant l'hiver ou au printemps, au moment de la fonte des neiges, quand le sol est encore gelé. Afin d'éviter la pourriture des jeunes tiges ou des racines, il est recommandé de les planter sur une pente douce pour éviter que l'eau s'accumule autour de la plante. Toutes les variétés de *Miscanthus sinensis* poussent en touffes et ne sont pas envahissantes, à une seule exception près : *Miscanthus sacchariflorus* – Eulalie – (Silver Banner Grass) qui s'étale rapidement à cause des longs rhizomes qu'il forme.

Parmi ceux qui ne sont pas envahissants, *Miscanthus sinensis* 'Silberfeder' – Roseau de Chine – (Japanese Silver

Miscanthus s. 'Positano' (Roseau de Chine) danse sous la dernière lueur du jour.

Grass) est le plus majestueux de tous. Il possède la plus grande ampleur parmi les variétés qui poussent très bien au Québec. Ses plumeaux argentés de 30 cm sont soutenus par des tiges arquées d'une grande élégance qui bougent énormément sans se briser sous l'action des forts vents de l'automne. Il atteint une hauteur d'environ 220 cm et son diamètre après 5 ans peut aller jusqu'à 120 cm et même 180 cm s'il est isolé ; il faut donc prévoir beaucoup d'espace. Son feuillage étroit est marqué par une ligne argentée au centre ; ses grands épis plumeux sont également argentés.

Miscanthus s. 'Silberfeder' (Roseau de Chine), au coucher du soleil.

Deux immenses vétérans : *Miscanthus s.* 'Silberfeder' (Roseau de Chine), 15 ans, en automne.

Miscanthus purpurascens (Roseau), sous la première neige.

Ci-dessous : *Miscanthus sinensis* 'Berlin' (Roseau de Chine).

Si l'espace disponible pour la plantation est plutôt restreint, il vaut mieux choisir la variété 'Berlin'. *Miscanthus sinensis* 'Berlin', qui peut devenir aussi haut que *M. s.* 'Silberfeder', a un port dressé et étroit. Avec ses tiges très verticales, il n'atteint que 70 cm de diamètre à l'âge adulte. Utilisée comme plante vedette ou en massifs, cette variété aux inflorescences dorées géantes (30 cm de longueur), crée des effets aussi intéressants que la variété 'Silberfeder'. Cependant, dans les grands espaces, ce dernier produit des effets aussi intéressants, à l'automne et en hiver. Les plumes les plus volumineuses et les plus impressionnantes sont celles, argentées, de *Miscanthus sinensis* 'Roland', et celles, bourgogne, de *Miscanthus sinensis* 'Goliath'. Ces derniers constituent les plus hauts spécimens de ce groupe de plantes, avec plus de 250 cm de hauteur. La variété 'Positano' est remarquable par son inflorescence pourpre et par son port semblable à celui de *Miscanthus sinensis* 'Silberfeder'.

Miscanthus s. 'Roland' (Roseau de Chine) au centre et *Miscanthus s.* 'Zebrinus' à droite.

Miscanthus s. 'Malepartus' (Roseau de Chine) en arrière-plan.

En octobre, *Miscanthus purpurascens* (Roseau) à droite illumine *Calamagrostis a.* 'Karl Foerster' (Calamagrostide) en avant. En arrière, à gauche, *Micanthus s.* 'Berlin' (Roseau de Chine).

Plus au sud, en zone 5b, *Miscanthus giganteus,* l'ancien *Miscanthus floridulus,* est le plus haut et le plus impressionnant. Mais en raison de sa faible rusticité, il fleurit rarement sous notre climat. C'est pourquoi nous préférons des variétés de *Miscanthus sinensis* beaucoup plus florifères et pour la plupart plus rustiques.

L'embarras du choix constitue le principal problème pour l'utilisation des *Miscanthus* dans l'aménagement paysager. *Miscanthus sinensis* 'Malepartus' produit de soyeuses plumes rougeâtres sur des tiges rouge foncé. Il fleurit plus tôt que les autres variétés géantes de *Miscanthus* et est devenu un grand favori en Europe. Son feuillage bien proportionné se colore à l'automne en vert et bourgogne.

Miscanthus sinensis 'Sirene' – Roseau de Chine – (Siren Japanese Silver Grass), une autre beauté, s'avère très attrayant grâce à ses inflorescences d'un rouge pourpre brillant tout à fait unique. Dès que ses glumelles éclatent, ses plumes tournent au blanc argenté. La hampe florale la plus argentée est celle de *Miscanthus sinensis* 'Undine' alors que la fleuraison la plus tardive est celle de *Miscanthus sinensis* 'November Sunset'.

Miscanthus purpurascens – Roseau – (Purple Silver Grass) est une variété très robuste qui pousse en touffes bien vigoureuses. Son feuillage qui prend une tonalité pourpre remarquable à l'automne en fait un choix intéressant pour les aménagements pensés en fonction de la coloration automnale. Il peut atteindre une hauteur de 175 cm et, après 5 ans, un diamètre de 90 cm. Il s'agit d'une excellente graminée pour créer des écrans visuels

Miscanthus sinensis 'Sirene' (Roseau de Chine).

Miscanthus purpurascens (Roseau), un des roseaux les plus colorés à l'automne.

estivaux et hivernaux. Ces barrières peuvent également servir de « piège » pour que la neige s'accumule dans des endroits stratégiques de l'aménagement, remplaçant ainsi les clôtures à neige si peu esthétiques. On peut donc se servir de cette clôture vivante pour assurer la protection hivernale de plantes plus fragiles. *Miscanthus purpurascens* tolère un sol pauvre et même la sécheresse pendant une période limitée.

D'autres variétés de *Miscanthus sinensis* attirent le regard grâce à leurs feuilles larges et panachées. Plusieurs variétés du même type, mais avec un dessin plus fin ou plus clair, sont offertes sur le marché ; ce sont *Miscanthus sinensis* 'Cosmopolitan' et *Miscanthus sinensis* 'Cabaret'. On doit être conscient qu'en général les *Miscanthus sinensis* panachés sont plus fragiles et se tiennent moins bien au cours des hivers plus rigoureux. Ils peuvent survivre durant plusieurs hivers, mais cela n'implique pas qu'ils soient complètement rustiques en zone 5. Il vaut donc mieux les protéger en hiver.

La même difficulté se pose pour les variétés montrant des bandes blanchâtres horizontales le long des feuilles, dont l'effet visuel est tout à fait unique. *Miscanthus sinensis* 'Zebrinus' est d'un port droit très élégant pouvant atteindre une hauteur de 200 cm. Il est le plus spectaculaire de ce groupe avec ses feuilles très larges, longues et arquées, dont les bandes jaunâtres horizontales sont très visibles. *Miscanthus sinensis* 'Strictus' fait 150 cm de haut et est plus étroit et plus petit que le précédent. Son port compact et ses feuilles érigées toutes droites vers le haut lui donnent l'apparence d'un porc-épic. Il est utilisé à la place de *Miscanthus sinensis* 'Zebrinus' dans les petits espaces.

La variété 'Giraffe' possède le même type de feuillage panaché que ces dernières ; elle est très décorative grâce à ses larges bandes horizontales jaunes. Mais sa principale caractéristique est celle de fleurir chaque année, phénomène assez rare chez les graminées panachées. La variété 'Giraffe' est donc un excellent choix parmi les espèces de *Miscanthus* au feuillage décoratif panaché.

Miscanthus sinensis est, parmi les graminées, l'espèce qui compte le plus grand nombre de variétés, et chaque année de nouvelles variétés s'ajoutent venant de différentes parties du monde. Soulignons celles qui sont reconnues pour l'extrême beauté de leur inflorescence : 'Andante', 'Bluetenwunder' et 'Richard Hansen'. D'autres variétés aux merveilleuses inflorescences retombant en cascade méritent d'être mentionnées également : ce sont 'Flamingo' et 'Kaskade'. La variété 'Nishidake' est originaire du Japon mais a été introduite sur le marché par un pépiniériste allemand. Elle est unique en son genre en raison de son port érigé et peu dense doté de plumes brunâtres. Les variétés 'China' et 'Roter Pfeil' sont très appréciées pour la coloration de leur feuillage en automne, les variétés 'Poseidon' et 'Wetterfahne' pour leur feuillage large et vert brillant, et les variétés 'Silberspinne' et 'Autumn Light' pour leur feuillage très fin. Mais au-delà de toutes ces plantes remarquables règne la variété 'Silberturm', le plus haut de tous les *Miscanthus sinensis.*

Miscanthus sacchariflorus est quant à lui rustique jusqu'en zone 3. Il est robuste et très vigoureux. Il constitue le seul *Miscanthus* traçant et vraiment envahissant. Cette plante est efficace pour former très vite un écran visuel dense, et cela à un coût minimum lorsqu'on plante les rhizomes à racines nues au début du printemps. Elle est d'entretien facile, mais il lui faut beaucoup d'espace. Les jardins résidentiels sont en général trop petits pour l'accommoder ; en revanche, elle est idéale pour regarnir rapidement un grand site.

Miscanthus s. 'Zebrinus' (Roseau de Chine).

Miscanthus sacchariflorus (Eulalie).

CHAPITRE 5

LES GRAMINÉES DANS LA PRAIRIE FLEURIE

Heliopsis helianthoides (Héliopside) avec *Lavatera thuringiaca* (Lavatère).

Une prairie fleurie avec *Echinacea purpurea* (Échinacée) et *Helictotrichon sempervirens* (Herbe bleue).

LA PRAIRIE RESSEMBLE À UNE MER DE GRAMINÉES BOUGEANT dans le vent jusqu'à l'horizon. Ces grands espaces forment un paysage ouvert et grandiose, couvert par un ciel immense. Les prairies peuvent être très riches. Elles constituent des habitats très productifs pouvant abriter un grand nombre d'animaux, comme les milliers de buffles de l'Amérique ou des troupeaux incroyables de gnous des prairies en Afrique. Mais la prairie est également très riche en fleurs. Leur abondance, les couleurs qu'elles arborent ainsi que leur distribution sont à la fois fascinantes et stimulantes.

Le design végétal naturel offre une image de souplesse, contrairement à la rigidité dans le design d'une plate-bande traditionnelle. Dans la nature, l'ordre est tout à fait différent, c'est pourquoi il est intéressant pour le maître jardinier

de s'attarder à observer la nature. Transformer un jardin, en entier ou en partie, pour arriver à y recréer la souplesse et les couleurs qui caractérisent un champ fleuri tel qu'on en trouve dans les prés devient un rêve pour l'amant de la nature. L'industrie productrice de graines a déjà réagi en mettant sur le marché des mélanges de graines de fleurs sauvages. La prairie fleurie est maintenant vendue en canette !

Mais la réalisation d'un tel projet représente tout un défi, car les mélanges offerts sont encore trop généralisés, pas assez adaptés aux goûts et aux situations diverses. De plus, il s'avère difficile d'obtenir de bons résultats dans l'établissement d'un groupement de plantes si riche et si diversifié en n'ensemençant qu'une seule fois. Parmi les plantes que le jardinier veut voir pousser dans sa prairie,

Une prairie fleurie plantée.

Une coulée de géraniums vivaces dans un tapis de *Festuca* (Fétuque).

plusieurs ne se laissent pas ensemencer facilement, et parfois pas du tout. Si tout va bien, le mélange de graines produira un beau bouquet, mais il sera trop homogène. Si l'on veut mettre l'une ou l'autre des plantes en valeur, il faudra ensemencer les différentes fleurs individuellement.

Employer une technique d'implantation mixte serait une autre façon d'obtenir une prairie fleurie. Les plantes les plus importantes seraient plantées en premier lieu et on laisserait quelques îlots libres pour l'ensemencement des fleurs et des graminées. Ces îlots peuvent être réensemencés facilement si on le souhaite. De cette manière, toutes les plantes voulues peuvent être intégrées. On pourrait ainsi procéder à un regroupement de certaines plantes pour améliorer l'effet visuel que donnerait de la prairie fleurie. Une prairie fleurie a une composition naturelle complexe, c'est d'ailleurs ce qui fait sa grande beauté.

L'INTÉGRATION DE BULBES DANS LES PLANTATIONS DE GRAMINÉES

La végétation de la prairie pousse et fleurit graduellement du printemps jusqu'à l'automne. Au printemps, à l'exception des *Calamagrostis* (Calamagrostide), *Deschampsia* (Deschampsie) et *Sesleria* (Seslérie), les graminées commencent à pousser lentement en laissant assez d'espace aux premières fleurs qui en profitent pour s'épanouir. La prairie nord-américaine est caractérisée par la présence d'anémones, de gyroselles et d'autres fleurs, tandis que dans les prairies européennes et asiatiques, on trouve des tulipes, des narcisses, des bugles et des primevères. Toutes ces plantes printanières ont le temps de fleurir et de bien pousser avant que les feuilles des graminées les recouvrent. À ce moment, les bulbes et autres plantes aux fleurs printanières ont terminé leur cycle saisonnier et il n'y a aucun problème à ce que leurs

Jardin de graminées dominé au printemps par les plantes à bulbes.

Dans cette prairie alpine, les anémones ont assez de temps pour fleurir et compléter leur cycle, car les graminées s'y développent lentement.

feuilles soient recouvertes. Comme les graminées viennent cacher leur feuillage fané, il n'est pas nécessaire de l'enlever.

Les narcisses, les crocus et les tulipes botaniques se laissent facilement naturaliser, ils reprendront naturellement leur cycle de fleuraison année après année, sans nécessité d'intervention. Une situation idéale pour le jardinier enthousiaste ! On pourra procéder de même dans les endroits secs, avec des graminées plus basses comme *Festuca* (Fétuque), *Helictotrichon* (Herbe bleue) et *Stipa* (Stipe), et avec quelques bulbes d'été comme *Allium* (Ail), les cousins de notre oignon de cuisine ou avec les petits iris bulbeux, *Iris reticulata* et *Iris danfordiae.*

L'INTÉGRATION DES VIVACES DANS LES PLANTATIONS DE GRAMINÉES

Plus la saison avance et plus les tiges de graminées poussent. Pendant cette période, les vivaces rendront le jardin attrayant en attendant l'épanouissement plus tardif des graminées. Les marguerites, les pavots, les lys et autres s'épanouiront alors. Au fur et à mesure que les graminées gagnent en hauteur, les diverses fleuraisons se suivent.

L'événement floral subséquent met en vedette les composites, les gaillardes et les liatrides en avant-plan, avec les achillées et les chardons. Suivent ensuite *Rudbeckia sullivantii* 'Goldsturm' ou, encore plus haute, *Rudbeckia subtomentosa* et sa spectaculaire cousine en rose ou blanc *Echinacea purpurea.* On ne plante jamais trop de ces trois espèces-là. Elles méritent d'être disposées en grands massifs. On peut également associer aux graminées la plus haute des véroniques, *Veronica longifolia,* qui est bleue, ou *Veronicastrum virginicum* (Véronicastre) aux fleurs blanches, roses ou bleu clair. Nous sommes maintenant au mois de juillet et les premières graminées fleurissent, d'abord la tendre *Calamagrostis acutiflora* (Calamagrostide).

Mais le vrai éclatement de la prairie a lieu pendant les mois d'août et de septembre quand les *Miscanthus sinensis* (Roseau de Chine) ouvrent leurs fleurs en forme de plumes et que les *Panicum* (Panic raide), *Molinia* (Molinie), *Andropogon* (Barbon de Gerard), *Chasmanthium* et *Spodiopogon* dévoilent leurs panicules rougeâtres, argentées ou bleutées. Ils offrent un arrière-plan magnifique aux hélénies, aux asters, aux rudbeckias et à *Vernonia noveboracensis.* La prairie est alors à son zénith. Plus tard, les tiges sécheront et tourneront au noir, au brun et au jaune. Un paradis pour les oiseaux amateurs des graines de beaucoup de ces plantes. Ce groupement reste visuellement intéressant même au cœur de l'hiver.

Calamagrostis acutiflora 'Karl Foerster' (Calamagrostide), *Rudbeckia nitida* (Rudbeckia) et *Miscanthus sinensis* (Roseau de Chine).

Les changements fascinants du jardin de graminées devant notre maison au fil des saisons. En mai…

En juin…

En juillet…

En août…

En novembre…

En décembre…

LA PLANTATION DE LA PRAIRIE FLEURIE

La plantation et l'ensemencement d'une telle prairie se fait de préférence au printemps, après que tout risque de gel soit passé. Ainsi, les plantes dont la croissance est déjà très avancée dans leurs pots et qui sont sensibles au froid ne seront pas touchées par un gel tardif. Cela permet aussi de bien préparer la terre avant de planter et de semer.

Les graminées offrent un excellent cadre pour les fleurs grâce à leur texture particulière et à leur couleur neutre qui permettent de les mettre en valeur. Elles peuvent facilement occuper du plus petit au plus grand des espaces. C'est grâce à l'utilisation des graminées que l'on réussira à donner du caractère à une petite prairie ou à un champ fleuri. Pour la plantation d'une prairie fleurie, le choix des graminées est vaste et comprend des plantes de toutes les hauteurs. Les espèces et variétés qui ont une allure plutôt naturelle et qui sont vigoureuses conviennent. Il faut toutefois éviter les variétés panachées en raison de leur apparence excessivement artificielle ainsi que les variétés peu robustes. Des massifs composés de fleurs plus hautes traverseront ces îlots de graminées, soit en grands ou en petits groupes, ou serviront d'avant-plan à ces herbes.

Si l'espace disponible pour créer la prairie n'est pas très grand, on préférera des graminées basses en arrière-plan pour obtenir une apparence de prairie. Si le terrain est plutôt de bonne dimension, comme celui qui entoure généralement une maison à la campagne, on pourra utiliser les variétés géantes des graminées et les agencer avec des plantes florifères hautes comme *Rudbeckia nitida* (Rudbeckia), *Coreopsis tripteris* (Coréopsis), *Helianthus salicifolius* (Hélianthe), ou différents *Inula* (Inule) ou *Silphium*. Si l'espace le permet, on pourra s'amuser à tracer de petits sentiers et ainsi créer de véritables tunnels. Et on pourra observer les fleurs d'en bas, au-dessus de nos têtes ! À l'intérieur des massifs plantés, on laissera des îlots et des bandes libres pour pouvoir y ensemencer des fleurs sauvages. Les mélanges seront composés de graines de fleurs ou de graminées annuelles et vivaces, ou encore par une combinaison des deux.

Pour les jardiniers qui cherchent à créer un aménagement à caractère naturel, la prairie devient un exemple très stimulant. Regrouper et entretenir un petit champ floral de plantes et de fleurs à caractère sauvage représente une tout autre approche par rapport à la plate-bande traditionnelle. Cela constitue un grand défi dont l'intérêt est soutenu.

LES ESPÈCES DE GRAMINÉES ENVAHISSANTES

Glyceria maxima 'Variegata'
Leymus racemosus
Pennisetum incomptum
Phalaris arundinacea 'Feesey's Form'
Phalaris arundinacea 'Picta'
Spartina pectinata 'Aureomarginata'
Miscanthus sacchariflorus

La sélection et l'hybridation des graminées ornementales ont entre autres pour but de découvrir des variétés qui auraient la capacité de s'intégrer plus facilement à d'autres plantes ornementales. Des variétés de graminées ont été sélectionnées en raison de la perte de leur capacité de former des stolons. Ainsi, la plupart des graminées ornementales poussent très paisiblement en touffes.

Il existe tout de même quelques graminées ornementales envahissantes dont l'utilisation s'avère valable dans certains aménagements offrant des contraintes particulières. C'est le cas lorsque le sol est trop pauvre ou trop sablonneux et que l'on cherche des plantes qui peuvent couvrir une certaine surface dans ces

Attention ! *Leymus racemosus* (Élyme) est trop envahissante pour être plantée à côté de *Sagina subulata* (Sagine).

À gauche : *Spartina pectinata* 'Aureomarginata' (Spartine pectinée).

Ci-contre : *Miscanthus sacchariflorus* (Eulalie).

conditions. *Leymus racemosus* – Élyme – (Giant Blue Wild Rye Grass), avec son feuillage bleuté, pousse très bien dans ce type de milieu. Cette plante s'avère efficace dans la stabilisation du sable et des dunes. Cette graminée ornementale est la plus résistante au sel en raison de son origine littorale. À l'opposé, les graminées envahissantes *Glyceria maxima* 'Variegata' – Glycérie – (Variegated Manna Grass) et *Spartina pectinata* 'Aureomarginata' – Spartine pectinée – (Variegated Cord Grass) peuvent pousser dans une terre sèche, mais préfèrent les terrains humides et même dans l'eau. Leur feuillage décoratif peut vraiment embellir un rivage.

Pennisetum incomptum – Pennisetum – (Meadow Pennisetum), connu également sous le nom de *Pennisetum flaccidum,* est à son mieux dans un sol riche et humide et peut former dans une telle situation des massifs bien denses. Comme il ne s'agit pas d'une plante trop haute, elle peut être intéressante dans la composition des prairies fleuries en grandes surfaces.

Miscanthus sacchariflorus – Eulalie – (Silver Banner Grass), *Phalaris arundinacea* 'Feesey's Form' et 'Picta' – Ruban de bergère – (Ribbon Grass) et *Spartina pectinata* 'Aureomarginata' – Spartine pectinée – (Variegated Cord Grass) poussent bien dans un sol normal. La plantation des espèces envahissantes est recommandée dans des situations très particulières, comme par exemple une plantation informelle de surfaces de moyenne ou de grande étendue, entourées de gazon ou d'une plantation d'arbustes dense. L'avancement des stolons produits par ces graminées est dans ce cas arrêté et contrôlé par la tondeuse d'une part, et par l'ombre produite par les arbres et les arbustes d'autre part. La revégétalisation et la stabilisation des pentes et des rives, les abords routiers et autoroutiers sont en principe les grands champs d'utilisation de ces plantes.

Le très envahissant *Sasa veitchii* (Bambou nain) n'a ici que les joints entre les dalles pour pousser. C'est une manière astucieuse de contrôler une plante comme le bambou nain.

Phalaris arundinacea 'Feesey's Form' (Ruban de bergère).

CHAPITRE 6

LES GRAMINÉES DANS LA MAISON

La composition de bouquets

Inflorescences attrayantes de *Andropogon gerardii* (Barbon de Gerard).

À gauche : détail de l'inflorescence de *Miscanthus s.* 'Kleine Fontaine' (Roseau de Chine).

Ci-contre : l'allure délicate des épis de *Calamagrostis brachytricha* (Calamagrostide) ajoute un charme spécial à l'arrangement floral.

Page de droite : *Aster* (Aster) et *Panicum virgatum* (Panic raide) font bon ménage comme fleurs coupées.

LES BOUQUETS TIRENT AVANTAGE DE LA RICHESSE DES FORMES, couleurs et textures de l'inflorescence et du feuillage des graminées ornementales. Peu importe le style du bouquet, les graminées complètent avantageusement les assemblages de fleurs. Leurs formes particulières permettent un encadrement et ajoutent une texture à la composition florale. Elles créent de l'harmonie grâce aux lignes de leurs panicules et de leurs feuilles, et produisent des effets divers par leurs couleurs très variées. La présence de graminées contribue à rehausser la beauté des fleurs dans les styles formels comme les compositions japonaises, dans l'originalité des compositions contemporaines, ou encore dans la simplicité des bouquets de fleurs champêtres et dans les assemblages floraux plus traditionnels.

DES TIGES FRAÎCHES OU SÈCHES

Ces herbes, qui sont de plus en plus recherchées pour la confection de compositions florales, peuvent être utilisées fraîchement cueillies ou sous forme séchée. La majorité des espèces se prêtent à la composition florale sous forme de tiges fraîches, ce qui n'est pas le cas pour les tiges sèches. Les plantes dont les inflorescences sont les plus intéressantes à faire sécher sont : *Andropogon gerardii, Briza media, Calamagrostis brachytricha, Carex muskingumensis, Chasmanthium latifolium, Hystrix patula, Koeleria glauca, Miscanthus* (toutes les variétés) et *Pennisetum alopecuroides* (toutes les variétés). Le feuillage de certaines graminées est également le bienvenu dans la composition de bouquets floraux. Choisissez préférablement *Carex muskingumensis, Leymus racemosus, Glyceria maxima* 'Variegata', *Helictotrichon sempervirens, Miscanthus sinensis* 'Morning Light', *Miscanthus s.* 'Gracillimus', *Miscanthus purpurascens, Miscanthus s.* 'Strictus', *Miscanthus s.* 'Variegatus', *Miscanthus s.* 'Zebrinus', *Phalaris arundinacea, Spartina pectinata* 'Aureomarginata'. Les feuilles sèches de *Miscanthus s.* 'Gracillimus' sont les plus gracieuses de ce groupe de plantes.

Pour obtenir de belles tiges sèches, on devrait couper les graminées dès que l'inflorescence éclôt. Chez *Miscanthus* en particulier, il faut procéder à la coupe avant l'éclatement des glumes. Si ses tiges sont coupées à cette période, il n'y aura pas de risque que les plumeaux se défassent dans la maison. À cette étape de la croissance, les plumeaux sont fins, soyeux, colorés et brillants, tandis qu'après l'éclatement des glumes ils se gonflent et prennent une texture duveteuse blanc opaque. Ces herbes sèches sont formidables dans les bouquets de fleurs vivaces séchées. Une fois sèches, certaines de ces fleurs de nos jardins d'été peuvent garder leur forme et leur couleur originale pendant des années. D'après nos essais, les fleurs qu'on gagne le plus à faire sécher sont les suivantes : achillée, carline, reine-des-prés, centaurée, boule azurée, chardon, héliopsis, lavande, liatride, pivoine et, bien sûr, les roses.

TEXTURE

Les textures, formes et couleurs des graminées ornementales varient énormément selon l'espèce. Cela en fait un élément très versatile dans la pratique de l'art floral. La texture de l'inflorescence des graminées ornementales peut être duveteuse comme celle de *Miscanthus*, fine comme chez *Briza media*, *Deschampsia caespitosa*, *Helictotrichon sempervirens*, *Molinia caerulea*, *Panicum virgatum* et *Stipa capillata* ; rugueuse comme celle de *Calamagrostis brachytricha*, *Chasmanthium latifolium*, *Hystrix patula*, *Melica transsilvanica*, *Pennisetum alopecuroides*, *Andropogon gerardii*, *Calamagrostis acutiflora*, *Leymus racemosus*, *Koeleria glauca*, *Schizachyrium scoparium* et *Spodiopogon sibiricus*.

Aconitum napellus (Aconit) et *Lobelia cardinalis* (Lobélie) dans un bouquet contrastant, adouci par *Molinia* (Molinie).

FORME, COULEUR ET LIGNE

La forme des inflorescences est généralement irrégulière, érigée ou courbée. Comme la couleur est plutôt neutre, elle n'offre aucune compétition à la composition chromatique du bouquet. Les variations de tonalités se font du beige au rouge en passant par les différents tons de vert qui varient du vert jaunâtre au vert bleuté en incluant le vert foncé.

La deschampsie crée un effet de transparence qui contribue à « enrober » un bouquet. Ses gracieuses inflorescences retombantes produisent l'effet d'un nuage qui enrobe et met en valeur les fleurs qui composent le bouquet. Les panicules arquées de la deschampsie adoucissent la verticalité des lignes d'une composition florale. D'ailleurs, le panic raide et la molinie offrent tous les deux les mêmes effets de texture que la deschampsie, tout en étant plus érigés. Mais si l'on recherche des effets de couleurs, l'utilisation du panic raide dans les bouquets offrira des tonalités rougeâtres (*Panicum virgatum* 'Rotstrahlbusch') ou mauves (*Panicum virgatum* 'Heavy Metal').

Les lignes formées par les longues inflorescences des stipes ajoutent du mouvement à la composition d'un bouquet. Cet effet peut également être obtenu avec le feuillage de *Miscanthus sinensis* 'Gracillimus' dont les lignes, une fois celui-ci séché, décrivent des arabesques extrêmement décoratives.

La simplicité du feuillage fin et bleuté d'*Helictotrichon sempervirens* (Herbe bleue), la structure droite de *Calamagrostis acutiflora* (Calamagrostide), l'inflorescence de forme curieuse d'*Hystrix patula* (Hystrix étalé), le feuillage en forme de palmier de *Carex muskingumensis* (Laîche à feuilles de palmier) ou le charme de *Chasmanthium latifolium*, l'une des plus belles graminées à utiliser comme fleur coupée, contribuent énormément à la réussite d'une composition florale.

Seuls les *Miscanthus sinensis* possèdent des inflorescences en forme de plumes denses et opaques qui peuvent tenir un rôle aussi important que des fleurs fraîches dans un bouquet. Les plumeaux peuvent être disposés de manière à constituer un joli bouquet en soi, dont la caractéristique principale serait une apparence duveteuse soutenue par les lignes en arabesques de son feuillage. Puisque certains *Miscanthus* peuvent atteindre jusqu'à 225 cm de hauteur, ils peuvent agir efficacement comme point focal d'un espace. En effet, un bouquet composé d'une centaine de ces tiges de 2 m de hauteur ne passera pas inaperçu dans les grands espaces extérieurs comme intérieurs. À cette fin, les plumeaux les plus spectaculaires sont ceux produits par les variétés 'Silberfeder' (grands plumeaux argentés), 'Malepartus' (plumeaux moyens rougeâtres), 'Roland' et 'Goliath' (plumeaux très grands).

Le rôle des graminées ornementales dans la pratique de l'art floral est illimité. La créativité de l'amateur lui permettra sans doute de découvrir mille et un effets différents. Réussir une composition florale avec ces herbes gracieuses dépend simplement de la connaissance que l'on possède du potentiel de chacune d'elles. Forme, couleur et texture jouent un rôle important dans l'harmonie de la composition, où la mise en valeur des différents éléments assurera l'équilibre final de l'œuvre. La connaissance des graminées ornementales combinée à un peu de sensibilité et d'imagination permettra à l'artiste de créer des bouquets plus diversifiés, et ce, dans tous les styles.

Molinia (Molinie) accompagnant *Alcea ficifolia* (Rose trémière).

RÉPERTOIRE DES GRAMINÉES ORNEMENTALES

Les graminées ornementales poussent généralement en touffes et ne sont pas envahissantes. Mais comme pour toute règle, le monde des graminées compte aussi ses exceptions. Elles sont indiquées en gras.

Elles sont toutes rustiques jusqu'à une température de -40 °C (zone 3), sauf indication contraire.

La hauteur du feuillage et celle de la hampe correspondent à une croissance moyenne dans des conditions normales.

- Ombragé
- Semi-ombragé
- Ensoleillé
- Hauteur du feuillage (Hf)
- Hauteur de la hampe (Hh)
- Distance de plantation recommandée, centre à centre (D)

La pépinière Oka Fleurs en automne.

Achnatherum brachytricha (voir *Calamagrostis brachytricha*)

Achnatherum calamagrostis (Calamagrostide – Silver Spike Grass)
(Syn. *Stipa calamagrostis*)

30 cm | 60 cm | 40 cm

Feuillage délicat, fleurs jaunâtres retombantes en juillet restant décoratives jusqu'à l'hiver. Très attrayante lorsqu'elle est plantée en petits groupes. Préfère un sol bien drainé.
• 'Lemperg' : croissance plus compacte.

Alopecurus pratensis 'Variegatus' ('Aureus') (Vulpin des prés – Yellow Foxtail Grass)

20 cm | 30 cm | 30 cm

Feuillage doré étroit. Fleurit tard au printemps.

Andropogon gerardii (Barbon de Gerard – Big Blue Stem) **Indigène**

150-200 cm | 75 cm

La plus majestueuse des graminées de la prairie canadienne. Feuillage vert bleuté. Plantation en massifs, pour la revégétalisation ou comme plante vedette.

Andropogon scoparius (voir *Schizachyrium scoparium*)

Arrhenatherum elatius sbsp. *bulbosum* 'Variegatum'
(Arrhénanthère bulbeuse/Tuber Oat Grass)

20 cm | 30 cm | 20 cm

Graminée panachée très blanche. Plante robuste qui demande une division fréquente.

Bouteloua curtipendula (Bouteloua – Side Oats Grama)

40 cm | 60 cm | 40 cm

Graminée robuste et peu exigeante. Feuillage vert bleuté. Tiges érigées mais épis regroupés horizontalement, créant un effet particulier.

Bouteloua gracilis (Bouteloua – Side-Oats Grama)

20 cm | 30 cm | 20 cm

Très semblable à *Bouteloua curtipendula* et exige les mêmes soins, mais plus petite et plus rigide. Plante intéressante pour la rocaille en raison de sa taille.

Briza media (Brize – Common Quaking Grass)

25 cm | 60 cm | 30 cm

Les petits épis bougent continuellement au vent. Demande une terre fertile, peut tolérer l'argile et un peu de sécheresse. Plantation en massifs et en avant-plan.

Bromus inermis 'Skinner's Gold' (Brome inerme – Awnless Brome Grass)

30 cm | 50 cm | 30 cm

Feuilles à marges jaunâtres très larges. Inflorescence de la même couleur. Très robuste et peu exigeante. Croissance par rhizomes traçants, donc un peu envahissante.

Calamagrostis x *acutiflora* (Calamagrostide – Feather Reed Grass)

60 cm | 150 - 170 cm | 50-75 cm

- 'Karl Foerster' : Tiges et épis parfaitement droits. Croissance très hâtive au printemps. Fleurit en juillet. Coloration jaune clair à l'automne. Excellente pour plantation en isolé, en massifs, comme arrière-plan ou comme clôture à neige vivante pour protéger du froid les vivaces plus délicates. La forme 'Stricta' est identique.
- 'Overdam' : Forme panachée, très décorative.

Calamagrostis brachytricha (Calamagrostide – Korean Feather Reed Grass)
(Syn. *Achnatherum brachytricha*)

50 cm | 100-150 cm | 50 cm

Feuilles en touffes vertes. Hampe argentée très délicate dès la fin de l'été et durant tout l'automne. Plantation en isolé, comme plante vedette ou en massifs. Bonne performance aussi à l'ombre.

Calamagrostis varia (Calamagrostide – Reed Grass)

50 cm | 120 cm | 50-60 cm

Port arqué et épis plumeux. Plus irrégulière que *Calamagrostis acutiflora* avec inflorescences arquées. Ne tolère pas la compétition avec les racines peu profondes des arbres.

Carex brunnescens (Laîche brunâtre – Brownish Sedge) **Indigène**

10 cm | 10 cm | 10 cm

Intéressant parce que c'est un des rares laîches rustiques dont la texture rappelle les « mop-head » laîche néo-zélandais. Feuillage vert pomme et allure soyeuse. Pousse bien dans un sol sec et acide.

Carex buchananii (Laîche – Leatherleaf Sedge)

45 cm | 45 cm | 40 cm

Feuillage fin et rigide de couleur brunâtre. Allure exotique. Malgré son apparence sèche, cette graminée est plus adaptée à un sol humide et riche en matière organique. Convient aux sols acides. Planter préférablement en petits groupes ou en isolé.

Carex communis (Laîche commun – Common Sedge)

10-12 cm | 20 cm

Feuillage vert semi-persistant. Intéressant pour sa floraison hâtive avec des chatons noirs à la mi-avril. Pousse en touffes et demande un sol sec.

Carex conica 'Marginata' (Laîche – Miniature Variegated Sedge)

20 cm | 40 cm

Feuillage persistant fin à marges blanches. Elle forme des touffes plus larges que hautes. Croissance lente mais plante attrayante pour des espaces ombragés. Nécessite un sol riche en matière organique et humide.

Carex elata (Laîche élevée – Golden Variegated Sedge)
(Syn. *Carex stricta, Carex reticulosa*)

◑ | 40 cm | 70 cm | 40 cm

Pousse en touffes très denses. Demande un sol humide et tolère les inondations périodiques. Ne tolère pas la sécheresse. Bon pour stabilisation des berges.

- 'Bowles Golden' : feuillage : de couleur dorée à marges vertes, très joli en bordure d'un jardin d'eau.

Carex glauca (Laîche bleue – Blue Sedge)
(Syn. *Carex flacce* subsp. *flacca*)

● ◑ ○ | 15 cm | 25 cm

Feuilles persistantes, étroites et retombantes de couleur vert bleuté. Pour tous les types de sols. Tolère bien la sécheresse. Bon couvre-sol.

Carex grayi (Carex de Gray – Gray's Sedge) **Indigène**

● ◑ | 30 cm | 45 cm | 30 cm

Très intéressant pour ses fruits en forme d'étoiles. Recommandé dans la plantation en petits groupes ou en isolé. Demande un sol humide.

Carex morrowii (Laîche japonaise – Japanese Sedge)

● ◑ | 25 cm | 30 cm | 40 cm

Native du Japon avec feuillage persistant et retombant. Très décoratif au printemps, en automne et en hiver.

- 'Goldband', 'Ruban doré' : stries vert doré plus larges que chez les autres variétés panachées.
- 'Ice Dance' : stries marginales blanc crème, croissance par rhizomes traçants et pour cette raison plus efficace comme couvre-sol que toutes les autres variétés. Envahissante.
- 'Temnolepis' : feuillage très fin et donc très décoratif.
- 'Variegata' : très décoratif en raison de ses fines stries vertes et dorées. Pour plantation en isolé ou en groupes. Utile comme couvre-sol.

Carex muskingumensis (Laîche à feuille de palmier – Palm Sedge)

60 cm | 60 cm | 40 cm

Feuillage vert clair très décoratif. Utilisée en massifs ou comme couvre-sol. Demande un sol humide et de fertilité moyenne. Tolère la sécheresse modérée.

- 'Little Midge' : Hf : 20 cm – D : 15 cm, forme naine de l'espèce.
- 'Wachtposten', 'Tour de garde' : Hf : 70 cm – D : 40 cm, port plus érigé que celui de l'espèce, plante plus résistante à la sécheresse.
- 'Oehme' : Hf : 30 cm, forme panachée avec stries dorées, très décorative.
- 'Silberstreif', 'Raie d'argent' : Hf : 30 cm – D : 25 cm, forme panachée à marges argentées.

Carex nigra (Laîche à fleurs noirs – Black Blooming Sedge)

15 cm | 20 cm | 20 cm

Feuillage vert foncé, croissance rampante, bon couvre-sol.

- 'Variegata' : Feuillage à marges jaunâtres, croissance rampante.

Carex plantaginea (Laîche à feuille de plantain – Plantain-Leaved Sedge) **Indigène**

20 cm | 30-40 cm | 30 cm

Feuilles persistantes en rosettes, de couleur vert clair. Plante indigène des forêts riches. Floraison hâtive, une des premières plantes à fleurir dans la forêt au printemps. Bon couvre-sol. Très attrayant à l'automne et au printemps.

Carex riparia 'Aurora' (Laîche – Sedge)

10 cm | 45 cm

À l'émergence, au printemps, les limbes sont totalement crème puis tournent au vert. Port en fontaine. Se répand par stolon.

Carex siderosticha 'Variegata' (Creeping Broad-Leafed Sedge)

20 cm | 20 cm | 30 cm

Feuilles très larges à stries blanches bien larges aussi qui donnent une apparence très attrayante, spécialement au printemps, au moment de son éclatement. La plante croît lentement par rhizomes traçants sans envahir ses voisins. Demande un sol riche et humide. Il existe aussi des formes à marges dorées.

Chasmanthium latifolium (Northern Sea Oats)
(Syn. *Uniola latifolia*)

100 cm | 120 cm | 40 cm

Feuillage vert foncé. Inflorescence très décorative en petits épis aplatis et retombants. Plantation en isolé ou en massifs, dans un sol humide. Performance raisonnable aussi à l'ombre, du côté nord des maisons.

Dactylis glomerata 'Variegata' (Dactyle pelotonné – Cocks Foot, Orchard Grass)

100 cm | 150 cm | 50 cm

Feuillage panaché, très bon couvre-sol. Lorsque plantée à la mi-ombre, elle ajoute de la luminosité au jardin. Demande un sol normal. Rampant.

Deschampsia caespitosa (Deschampsie cespiteuse – Tufted Hair Grass) **Indigène**

40-60 cm | 60-120 cm | 40-60 cm

Feuillage vert et fin, commence à pousser très tôt au printemps. Panicule pyramidale, rameuse, délicate et retombante. Devient jaunâtre à la fin de l'été. Plantation en isolé ou en massifs. Demande un sol riche et humide. Ne tolère pas la sécheresse. Bonne graminée pour l'ombre. Peut s'ensemencer.

- 'Bronzeschleier', 'Voile de bronze' : panicule brun clair.
- 'Goldgehänge', 'Pendants dorés' : panicule dorée en été.
- 'Goldstaub', 'Poussière dorée' : semblable à *Deschampsia caespitosa* 'Goldgehänge'.
- 'Northern Lights', forme marginée plus petite.
- 'Tauträger', 'Porteur de rosée' : panicule dense mais apparaissant plus tard.
- 'Tardiflora', panicule très longue. Variété la plus imposante. Hh : 120 cm.

Deschampsia flexuosa (Deschampsie flexueuse, Canche flexueuse – Wavy Hair Grass) **Indigène**

15 cm | 30 cm | 15-25 cm

Plus fine et gracieuse que *Deschampsia caespitosa.* Panicules bronze, tolère la sécheresse. Remplace D. *caespitosa* dans les lieux secs.

- 'Aurea' ('Tatra') : très belle variété naine. Jaunâtre. Hh : 10 cm – Hf : 20 cm.
- 'Mueckenschwarm', 'Volée de moustiques' : grand nombre d'inflorescences foncées. Hf : 30 cm. Excellent pour les petits espaces.

Elymus giganteus (voir *Leymus racemosus*)

Eriophorum latifolium (Linaigrette à feuilles larges – Broad-Leafed Cotton Grass)

30 cm | 50 cm | 30 cm

Plante des marécages acides, non stolonifère, intéressante pour ses inflorescences pendantes en soie blanche dans le stade de fructification. Pour des lieux humides et acides, ou dans l'eau pas plus profonde que 5 cm. Semblable à E. *angustifolium,* qui est stolonifère.

Eriophorum spissum (Linaigrette dense – Tussock Cotton Grass) **Indigène** (Syn. *Eriophorum vaginatum*)

30 cm | 50 cm | 30 cm

Plante non stolonifère formant des touffes denses. Fleuraison jaune au printemps. Inflorescence érigée soyeuse et blanche. Semblable au coton en automne.

Festuca amethystina (Fétuque – Large Blue Fescue)

30 cm | 40 cm | 30-40 cm

Feuilles très fines retombantes vertes ou bleutées. Plus grande et plus vigoureuse que *F. cinerea,* plus petite qu'*Helictotrichon sempervirens.* On peut couper les feuilles tôt au printemps pour stimuler la croissance. Sol sablonneux et sec. Pour plantation en isolé, en massifs ou comme couvre-sol. Plus robuste que *F. glauca.*

- Aprilgrün, 'Vert Avril' : feuilles vertes, rigides et très hâtives au printemps.
- 'Klose' : feuilles vert olive, très fines mais rigides.
- 'Solling' : sans inflorescence, feuilles bleutées.
- 'Superba' : feuilles bleutées, fines et retombantes. Inflorescences et tiges d'un pourpre orangé brillant unique pendant sa fleuraison.

Festuca filiformis (Fétuque à feuilles fines – Fine-Leaved Fescue)
(Syn. *Festuca tenuifolia*)

15 cm 30 cm

Feuilles persistantes et fines de couleur verte. Pour sol sablonneux. Bonne plante pour l'avant-plan du jardin, sur de petites surfaces et dans les rocailles.

Festuca gautieri (Fétuque à peau d'ours – Bear Skin Fescue)
(Syn. *Festuca scoparia*)

10 cm 30 cm

Feuilles persistantes très fines, denses et rigides de couleur vert foncé. Un peu rampant, pouvant ainsi former un beau tapis à très long terme.
- 'Pic Carlit' : feuilles très courtes et piquantes, pour les rocailles. D : 15 cm.

Festuca glauca (Fétuque glauque – Blue Fescue, Sheep's Fescue)
(Syn. *Festuca cinerea, Festuca ovina* var. *glauca*)

10-20 cm 20-40 cm 20-30 cm

Feuilles courtes et rigides bleu argenté. Pour sol sablonneux et sec. Planter comme plante vedette ou en petits massifs. On peut couper les feuilles tôt au printemps pour stimuler sa croissance. Besoin de division et transplantation assez fréquente (aux trois ans) pour garder leur port et leur beauté.
- 'Azurit' : feuilles très fines, longues et d'un bleu argenté unique.
- 'Blaufink', 'Chardonneret bleu' : feuilles rigides et hérissées d'un beau bleu.
- 'Elijah Blue' : feuilles rigides bleu clair.
- 'Meerblau', 'Bleu de mer' : la plus vigoureuse. Fines feuilles d'un vert bleuté.
- 'Seeigel', 'Oursin' : petites feuilles rigides en forme de petites boules bleu clair.

Glyceria maxima 'Variegata' (Glycérie – Manna Grass) **Envahissante**

30 cm | 50 cm | 30 cm

Feuilles vert pâle avec des stries dorées. Jeunes feuilles rosâtres très décoratives au printemps. Croissance vigoureuse. Plantation en massifs, tant au bord de l'eau qu'en milieu sec.

Hakonechloa macra (Hakone Grass)

40 cm | 30 cm

Graminée très gracieuse qui a l'apparence d'un bambou miniature. Exige une bonne couverture de neige en hiver. Ne tolère pas la sécheresse. Belle plante vedette, à utiliser préférablement avec les fougères et les hostas.

- 'Albovariegata'('Albostriata') : feuillage à marges blanches. Croissance plus érigée comme H. *m.* 'Aureola' et plus vigoureux.
- 'Aureola' : similaire à l'espèce mais au feuillage panaché doré et plus penché, très attrayante. Croissance plus lente et moins vigoureuse. Demande une protection hivernale.

Helictotrichon sempervirens (Herbe bleue, Avoine bleue – Blue Oat Grass) (Syn. *Avena sempervirens*)

40 cm | 90 cm | 40 cm

Feuilles étroites et érigées, de teinte bleutée. Inflorescence jaune. Demande un sol bien drainé et tolère les sols sablonneux et pauvres. Plantation en isolé ou en groupes.

- 'Saphirsprudel', 'Jaillissement d'azur' : feuillage large et très bleu. Plus résistante à la rouille.

Hierochloa odorata (Foin d'odeur – Sweet Grass, Vanilla Grass) **Envahissante**

100 cm | 50 cm | 50 cm

Feuilles étroites et longues, très odoriférantes lorsque séchées. Recherchée par les Amérindiens en raison de son parfum. Les fleurs apparaissent avant les feuilles au printemps. Demande un sol humide.

Holcus lanatus 'Variegatus' (Variegated Velvet Grass) Envahissante

20 cm | 30 cm | 30 cm

Bon couvre-sol dans les endroits secs. Peu attrayante à la fin de l'été.

Hystrix patula (Hystrix étalé – Bottle Brush Grass)

50 cm | 90 cm | 40 cm

Feuilles en touffes vert foncé, inflorescence très décorative en juin et en juillet. Plantation en isolé ou en massif. Tolère bien les endroits humides mais aussi les sites ombragés et secs.

Imperata cylindrica 'Red Baron' (Japanese Blood Grass)

25 cm | 25 cm

La graminée au feuillage le plus rouge tout au long de l'année, mais moins rustique. Très belle plante vedette. Demande un sol riche en matière organique, humide mais bien drainé et en plein soleil. Demande une protection hivernale.

Juncus effusus (Jonc épars – Common Rush) Envahissante

30-100 cm | 30-100 cm | 40 cm

Tiges cylindriques, molles, en touffes denses et dressées. Feuilles non apparentes. Les inflorescences multiflores se trouvent dans le tiers supérieur de la tige. Pousse aux endroits humides. Intéressant par sa forme érigée et par sa texture fine. Attention, il peut devenir envahissant par ensemencement et par rhizomes traçants.

- 'Spiralis' : variété particulière avec ses tiges rondes qui poussent en forme de spirales.

Juncus inflexus (Jonc dur – Hard Rush)

30-100 cm | 30-100 cm | 40 cm

Semblable à _Juncus effusius_, mais avec les tiges plus denses et vert grisâtre.

Koeleria glauca (Koelérie glauque – Large Blue Hair Grass)

15 cm | 30 cm | 25 cm

Touffe compacte de couleur vert bleuté. Hampes jaune clair et nombreuses en juin, produisant un beau contraste avec le feuillage. Demande un sol sec et pauvre, peut bien pousser dans le gravier, par exemple. Plantation en groupes suggérée.

Leymus racemosus (Élyme – Giant Blue Wild Rye Grass) **Très envahissante**

60 cm | 90 cm | 40 cm

Feuillage bleuté clair très décoratif. Croissance rapide, rhizomateuse. Utile comme couvre-sol pour stabiliser le sol (stabilisation des dunes) et pour la naturalisation. Résistante au sel.

- 'Glaucus' : couleur d'un bleu plus intense.

Luzula nivea (Luzule argentée – Snowy Wood-Rush)

20 cm | 40 cm | 30 cm

Feuillage persistant, fin et vert. Contour de la feuille velu. Fleurs blanchâtres en juin, très décorative et robuste, même dans un sol sec.

- 'Schneehäschen', 'Petit lièvre en hiver' : fleurs blanc argenté.

Luzula sylvatica (Luzule des forêts – Wood-Rush)

15 cm | 20 cm | 30 cm

Feuillage persistant d'un vert luisant à marges dorées. Inflorescence brunâtre en mai. Très robuste, s'adaptant à tous les genres de sol. Bon couvre-sol même sous des arbres et des arbustes.

- 'Hohe Tatra' : feuilles plus larges, plante plus attrayante que *Luzula sylvatica.*
- 'Marginata' : feuillage à marges dorées. Utilisation semblable à celle de *Luzula sylvatica.* Très attrayant de l'automne au printemps.

Melica altissima 'Atropurpurea' (Mélique – Melic)

○ | 50 cm | 100 cm | 40 cm

Feuillage brun pourpre foncé. Intéressant pour sa coloration. Demande du soleil et un sol bien drainé. Supporte bien la sécheresse.

Melica ciliata **(Mélique – Silky Spike Melic)**

○ | 20 cm | 40 cm | 20 cm

Port érigé, épis gris argent très attrayants. Plante peu exigeante.

Melica transsilvanica **(Mélique – Melic)**

○ | 25 cm | 50 cm | 25 cm

Feuillage fin et inflorescence constituée de chatons argentés. Demande un sol sec et pauvre, et un site ensoleillé. S'associe bien aux petites plantes vivaces comme *Achillea millefolium*. Utilisation en petits groupes ou en isolé.

Milium effusum **'Aureum' (Millet diffus doré – Golden Wood Millet)**

● ◑ | 25 cm | | 25 cm

Feuillage relativement large et d'une couleur dorée lumineuse au printemps. Décorative comme plante associée à des fleurs et à des bulbes printaniers. Préfère les endroits ombragés, humides et froids.

Miscanthus giganteus **(Roseau géant – Giant Chinese Silver Grass)**
(Syn. *Miscanthus floridulus*)

○ | 200 cm et + | 80-100 cm

Espèce de *Miscanthus* moins intéressante que les variétés de *M. sinensis* parce qu'il est moins rustique et qu'il ne fleurit pas chaque année. Nous recommandons plutôt les variétés 'Silberfeder' ou 'Berlin'. Utilisée comme plante vedette.

Miscanthus oligostachys (Petit roseau japonais – Small Japanese Silver Grass)

100 cm | 40 cm

Espèce intéressante pour les petits espaces. Provenant des montagnes de Honshū au Japon, elle doit être rustique en zone 5 à 3.

Miscanthus purpurascens (Roseau – Purple Silver Grass)

175 cm | 75 cm

Le plus robuste des *Miscanthus.* Moins haut que *M. s.* 'Silberfeder'. La couleur de son feuillage prend une teinte rouge orange en automne qui produit un contraste magnifique avec son inflorescence argentée. Demande un sol fertile. Pousse bien même au bord de l'eau. Utile comme plante vedette, point focal et en massifs. Efficace aussi comme écran et comme clôture à neige végétale. Plante très dense qui tolère un peu la sécheresse.

Miscanthus sacchariflorus (Eulalie – Silver Banner Grass) **Très envahissante**

180-200 cm | 40 cm

Ses plumes argentées sont très décoratives. Plante vigoureuse au développement envahissant, elle crée des massifs assez rapidement. Utile comme écran, en massifs avec des arbres et de grands arbustes, ou avec des vivaces de même hauteur *(Rudbeckia nitida).* Efficace comme clôture à neige végétale.

Miscanthus sinensis (Roseau de Chine – Japanese Silver Grass)

de 50 à 225 cm et plus,
croissance en touffes.
Il n'est pas envahissant.

Originaire de la Chine et du Japon. Sa croissance débute tard au printemps et se poursuit très rapidement en été. Les variétés produisent des fleurs magnifiques à partir du mois d'août. L'inflorescence a la forme d'une plume. La couleur varie du pourpre doré au argenté. Une fois les graines développées, les plumes deviennent argentées. La couleur, la texture et la hauteur de l'inflorescence et du feuillage diffèrent d'une variété à l'autre. Ils sont tous d'une grande valeur ornementale. Les

Miscanthus sinensis produisent mieux dans un sol riche et humide. Il existe déjà des variétés pour tous les goûts mais d'autres sont encore à venir.

- 'Adagio' : Hh : 75 à 100 cm – D : 50 cm. Amélioration de la variété naine 'Yaku Jima', plus florifère.
- 'Andante' : Hh : 200 cm – D : 100 cm. Fleuraison intéressante en divers tons de rose allant au argenté.
- 'Arabesque' : Hh : 120 cm – D : 60 cm. Croissance compacte, feuillage vert, fleuraison hâtive en août.
- 'Autumn Light' : Hh : 200 cm – D : 100 cm. Feuillage vert et étroit, fleuraison en septembre.
- 'Berlin' : Hh : 200 cm et plus – D : 100 cm. Très semblable à *M. s.* 'Silberfeder', mais de croissance plus verticale et plus compacte, et donc plus intéressante pour les petits espaces. Inflorescence dorée.
- 'Blondo' : Hh : 150 cm – D : 75 cm. Feuillage vert et large, très rustique.
- 'Bluetenwunder', 'Merveille en fleurs' : Hh : 180 cm – D : 100 cm. Excellente variété avec floraison riche et argentée.
- 'China' : Hh : 180 cm – D : 100 cm. Feuillage fin et bas vert olive avec coloration en automne. Grandes inflorescences.
- 'Dixieland' : Hh : 100 cm – D : 50 cm. Forme compacte de *M. s.* 'Variegatus'. Protection hivernale suggérée.
- 'Ferner Osten', 'Extrême-Orient' : Hh : 120 cm – D : 50 à 75 cm. Croissance très compacte, fleuraison rouge intense au début qui passe au blanc plus tard.
- 'Flamingo' : Hh : 180 cm – D : 100 cm. Fleuraison rose. Inflorescences retombantes. Très esthétique.
- 'Ghana' : Hh : 150 cm – D : 75 cm. Port érigé. Feuillage avec belle coloration en automne.
- 'Giraffe' : Hh : 200 cm – D : 100 cm. Coloration du feuillage comme M. *s.* 'Zebrinus', mais 'Giraffe' fleurit abondamment chaque année, ce qui le rend très décoratif. Protection hivernale suggérée.
- 'Goldfeder', 'Plume dorée' : Hh : 150 cm – D : 100 cm. Variété unique par son feuillage panaché doré, mais de croissance lente. Plante vedette extraordinaire. Protection hivernale suggérée.

- ‘Goliath’ : Hh : 250 cm – D : 120 cm et +. Une des variétés les plus hautes. Port étroit, plumes énormes et majestueuses. Fleuraison pourpre. Plante vedette très impressionnante par son port.
- ‘Gracillimus’ (Roseau de Chine – Maiden Grass)
  Hh : 150 cm – D : 60 à 80 cm. Feuilles minces et retombantes avec une ligne argentée au centre. Apparence très gracieuse, texture fine. Coloration automnale d’un beau bronze doré. Plantation en massifs ou comme plante vedette. Fleurit rarement. Protection hivernale suggérée.
- ‘Graziella’ : Hh : 150 cm – D : 50 à 80 cm. Semblable à *M. s.* ‘Gracillimus’. Feuillage fin et gracieux, fleurit abondamment au mois d’août. Très bonne plante pour les petits jardins.
- ‘Hermann Muessel’ : Hh : 100 cm – D : 50 cm. Son feuillage reste vert très tard. Fleuraison tardive.
- ‘Kaskade’, ‘Cascade’ : Hh : 180 cm – D : 100 cm. Inflorescence en rose retombant comme une cascade. Port quand même érigé, et très gracieux.
- ‘Kleine Fontäne’, ‘Petite fontaine’ : Hh : 150 cm – D : 50 à 80 cm. Hâtive, c’est la première variété à fleurir en août. Produit continuellement des fleurs jusqu’au mois de septembre. Une vraie fontaine. Une incontournable pour les petits jardins.
- ‘Kleine Silberspinne’, ‘Petite araignée argentée’ : Hh : 150 cm – D : 50 à 80 cm. Variété petite. Ressemble à *M. s.* ‘Gracillimus’, mais fleurit régulièrement. Feuillage fin, argenté et rigide. Très recommandée pour les petits jardins.
- ‘Malepartus’ : Hh : 200 cm – D : 100 cm. Feuillage abondant à la base de la plante, tiges droites rougeâtres bien visibles et port bien droit. Inflorescence bien au-dessus du feuillage pourpre devenant argenté. Un des plus beaux. Très décoratif.
- ‘Morning Light’ : Hf : 100 cm – D : 50 cm. Plante originaire du Japon aux feuilles fines et vertes avec une ligne blanche très fine qui leur donne une couleur vert grisâtre. Plante à l’allure très spéciale mais qui ne fleurit que rarement chez nous.
- ‘Nishidake’, ‘Celui qui va vers l’ouest’ : Hh : 225 cm – D : 125 cm. Variété à port érigé mais pas rigide. Bien différente par sa transparence avec inflorescence brune.

- ‘Nippon’ : Hh : 150 cm – D : 50 à 80 cm. Feuillage fin avec coloration en automne. Inflorescence bien au-dessus du feuillage. Convient bien aux petits jardins.
- ‘November Sunset’ : Hh : 180 cm – D : 100 cm. Feuillage dense qui garde sa couleur verte tard en automne. Floraison rougeâtre tardive. Plante très compacte.
- ‘Poseidon’ : Hh : 220 cm – D : 120 cm. Robuste avec une feuille large vert clair. Inflorescence très grande.
- ‘Positano’ : Hh : 200 cm – D : 100 cm. Imposant comme *M. s.* ‘Silberfeder’ mais plus dense et moins retombant. Plante très robuste et excellente comme écran visuel.
- ‘Puenktchen’, ‘Petit point’ : Hh : 100 à 120 cm – D : 50 à 60 cm. Plante au feuillage plus fin et au port plus petit que *M. s.* ‘Zebrinus’. Protection hivernale suggérée.
- ‘Richard Hansen’ : Hh : 180 cm – D : 100 cm. Variété érigée d’une beauté remarquable.
- ‘Rigoletto’ : Hh : 100 cm – D : 50 cm. Petite forme de *M. s.* ‘Variegatus’. Protection hivernale suggérée.
- ‘Roland’ : Hh : 250 cm et + – D : 120 cm. Une variété géante très semblable à ‘Goliath’. Port très solide. Les plumes sont argentées et extrêmement grandes.
- ‘Roter Pfeil’, ‘Flèche rouge’ : Hh : 180 cm – D : 100 cm. Feuillage avec coloration automnale rouge. Floraison en rose rouge qui passe au argenté.
- ‘Rotsilber’, ‘Rouge et argent’ : Hh : 150 cm – D : 75 cm. Feuillage vert avec une belle coloration en automne. Fleuraison rougeâtre avec des inflorescences plumeuses qui deviennent argentées après la fleuraison.
- ‘Sarabande’ : Hh : 150 cm – D : 75 cm. Feuillage fin et argenté semblable à *M.s.* ‘Gracillimus’ mais avec une fleuraison très belle. Ses hampes plumeuses sont d’une teinte dorée rare.
- ‘Silberfeder’, ‘Plume argentée’ : Hh : 225 cm et + – D : 150 cm. Graminée robuste et majestueuse. Ses grandes hampes plumeuses argentées et arquées ajoutent une touche exotique à l’aménagement. Plante très attrayante en bordure des piscines ou pour d’autres aménagements près de l’eau. Demande un sol fertile et pas trop sec. Utile comme plante vedette, point focal, arrière-plan ou écran. Variété grande et vigoureuse, fortement recommandée pour l’aménagement de grands espaces.

- 'Silberspinne', 'Araignée argentée' : Hh : 180 cm – D : 100 cm. Feuillage très fin et étroit. Son port érigé lui confère beaucoup d'élégance. Fleuraison riche, plumes argentées.
- 'Silberturm', 'Tour argentée' : Hh : 250 cm et plus – D : 120 cm. Le plus grand et le plus impressionnant. Port solide et érigé. Inflorescences argentées.
- 'Sioux' : Hh : 100 cm – D : 75 cm. Croissance en forme arrondie avec un feuillage vert brunâtre tournant au rougeâtre à l'automne.
- 'Sirene' : Hh : 180 cm – D : 100 cm. Inflorescence pourpre et d'une brillance unique au début de la floraison, devenant plus tard argentée. Plante d'une rare beauté qu'on utilisera comme plante vedette ou en groupes.
- 'Strictus' (Porcupine Grass) : Hh : 120 à 150 cm – D : 75 cm. Forme panachée horizontalement. Jaunâtre. Moins robuste que les variétés vertes. Croissance plus faible. Ses tiges semblent rigides. Belle plante vedette. Pour le type de sol, voir *M. s.* 'Silberfeder'. Protection hivernale suggérée.
- 'Undine' : Hh : 180 cm – D : 100 cm. Type semblable à *M. s.* 'Graziella' avec la même élégance. Ses inflorescences plumeuses argentées sont d'une beauté extraordinaire.
- 'Variegatus' (Variegated Silver Grass) : Hh : 120 à 150 cm – D : 75 cm. Forme panachée verticalement. Feuillage arqué très élégant. Voir *M. s.* 'Strictus'. Protection hivernale suggérée.
- 'Wetterfahne', 'Girouette' : Hh : 180 cm – D : 100 cm. Feuillage vert et large, port horizontal, fleuraison rouge.
- 'Yaku Jima' : Hh : 50 à 100 cm – D : 40 à 50 cm. Il ne s'agit pas d'une variété mais d'un type de plante qui pousse sur l'île japonaise de ce nom. C'est pourquoi il en existe plusieurs formes. Un type nain attirant.
- 'Zebrinus' (Miscanthus zébré/Zebra Grass) : Hh : 200 cm – D : 100 cm. Le plus beau des panachés à stries horizontales. Port dressé qui rappelle *M. s.* 'Strictus', mais plus haut et au feuillage bien arqué. Fleurit trop tard en automne. Protection hivernale suggérée.

Molinia caerulea (Molinie pourpre – Purple Moor Grass)

Feuillage fin et touffu. Hampe pourpre créant un beau contraste avec le feuillage vert. Utilisation en massifs ou comme plante vedette avec des vivaces basses. Teinte dorée exceptionnellement belle à l'automne. Demande un sol riche en matière organique. Peut tolérer l'argile mais ne tolère pas la sécheresse.

- 'Dauerstrahl', 'Rayon de longue durée' : ○ – Hf : 30 cm – Hh : 45 cm – D : 30 cm. Port arqué.
- 'Heidebraut', 'Fiancée de la bruyère' : ○ – Hf : 50 cm – Hh : 130 cm – D : 50 cm. Port parfaitement érigé, feuillage fin.
- 'Moorhexe', 'Sourcière de la bruyère' : ○ ◑ – Hf : 20 cm – Hh : 30 cm – D : 25 cm. Port érigé, inflorescences pourpre foncé.
- 'Overdam' : ○ ◑ – Hf : 15 cm – Hh : 25 cm – D : 20 cm. Inflorescence pourpre, port érigé. La plus petite des molinies.
- 'Strahlenquelle', 'Source des rayons' : ○ – Hf : 30 cm – Hh : 60 cm – D : 40 cm. Port très arqué. À utiliser comme plante vedette.
- 'Variegata' : ○ ◑ – Hf : 30 cm – Hh : 40 cm – D : 30 cm. Feuillage en touffes panachées vert et blanc. Utilisation comme plante vedette ou en bordure de plate-bande. Port arqué. Très belle coloration dorée en automne.

Molinia caerulea subsp. *arundinacea* (Molinie – Tall Purple Moor Grass)

○ 60 cm 180-225 cm 100 cm

Graminée magnifique constituée de grandes hampes gracieuses montées sur des tiges érigées sans nœuds ni feuilles. Feuillage bas en touffes et vert foncé. Teinte dorée exceptionnelle à l'automne. Excellente graminée pour la plantation en massifs ou comme plante vedette. Elle peut facilement remplacer les arbustes dans les aménagements.

- 'Cordoba' : semblable à 'Transparent' mais à inflorescences très étroites.
- 'Karl Foerster' : hauteur semblable à 'Windspiel' mais doucement arquée.
- 'Skyracer' : la variété la plus haute. Port érigé, tiges très fermes et allure impressionnante.
- 'Transparent' : la variété la plus petite (180 cm), belle inflorescence.
- 'Windspiel', 'Jeux de vent' : semblable à 'Skyracer' mais à tiges arquées. Gracieuse et moins haute.

Panicum clandestinum (Panic clandestin – Deer Tongue Grass) **Indigène**

70 cm | 100 cm | 50 cm

Feuillage vert clair. Il a l'apparence d'un bambou miniature. Floraison en juillet et août. Plante intéressante pour plantation en groupes ou en massifs, sous les arbres et aux abords de plans d'eau. Convient à la naturalisation. Demande un sol riche et humide.

Panicum virgatum (Panic raide – Switch Grass) **Indigène**

100 cm | 175 cm

Une graminée importante des grandes prairies (tall grass prairie). Très gracieuse, elle convient à la plantation en massifs. Recommandée pour la naturalisation. Très belle coloration jaune clair et lumineuse en automne. Une plante très robuste, elle tolère autant l'humidité que la sécheresse.

- 'Cloud Nine' : Hh : 200 cm – D : 100 cm. Feuillage bleuté, port évasé, majestueux.
- 'Blue Tower' : Hh : 200 cm – D : 100 cm. Feuillage bleuté, port érigé. Attrayante.
- 'Heavy Metal' : Hh : 120 cm – D : 50 cm. Feuillage bleuté, inflorescence mauve. Très belle plante, port droit.
- 'Haense Herms' : Hh : 90 cm – D : 45 cm. Feuillage vert et rouge.
- 'Prairie Sky' : Hh : 120 cm – D : 50 cm. Feuillage bleuté, port retombant.
- 'Rotstrahlbusch' , 'Buisson des rayons rouge' : Hh : 75 cm – D : 40 cm. Feuillage vert et rouge.
- 'Shenandoah' : Hh : 100 cm – D : 40 cm. Feuillage d'un rouge bourgogne rare.
- 'Squaw' : Hh : 150 cm – D : 50 à 75 cm. Feuillage vert foncé, fleurs et fruits pourpres.
- 'Strictum' : Hh : 175 cm – D : 75 cm. Comme l'espèce mais un port plus érigé. Feuilles et fruits verts en été, jaunes en automne.
- 'Warrior' : Hh : 160 cm. Semblable à P. *v.* 'Squaw' mais un peu plus haute.

Pennisetum alopecuroides (Fountain Grass)

50 cm | 90 cm | 50 cm

Feuillage très fin. Inflorescence en épis délicats qui retombent de manière gracieuse. Fleuraison en août. Demande une bonne terre, un arrosage par temps sec et une fertilisation au printemps. Utilisation comme plante vedette ou en massifs. Plante sensible au froid intense.

- 'Hameln' : Hf : 30 cm – Hh : 50 cm – D : 40 cm. Plus petit que l'espèce. Fleurit en juillet.
- 'Little Bunny' : Hh : 25 cm. Le plus petit des *Pennisetum.*

Pennisetum incomptum (Meadow Pennisetum) **Envahissante**
(Syn. *Pennisetum flaccidum*)

50 cm | 90 cm | 50 cm

Fleurs en juillet moins spectaculaires que celles de *Pennisetum alopecuroides.* Feuillage fin, vert bleuté. Couvre-sol pour les aménagements moins formels. Convient aux sols riches et humides.

Phalaris arundinacea (Ruban de bergère – Ribbon Grass) **Envahissante, Indigène**

60 cm | 100 cm | 50 cm

Couvre-sol robuste et efficace. Plante stabilisante des sols. Pour des endroits difficiles secs, humides ou marécageux.

- 'Dwarf Garters' : Hh : 30 cm – D : 20 cm. Forme compact de *Phalaris arundinacea* 'Picta'.
- 'Feesey's Form' : Hh : 75 cm. Feuillage plus blanc que 'Picta', teinte rose au printemps. Croissance plus élégante. Grande amélioration de la forme 'Picta'.
- 'Luteopicta' : forme de *Phalaris arundinacea* 'Picta' mais panachée de jaune.
- 'Picta' : feuillage panaché avec une bande blanche. Port érigé et très robuste.
- 'Tricolor' : comme *Phalaris arundinacea* 'Picta' mais avec des bandes de couleurs blanche, rose et verte.

Sasa veitchii (Bambou nain – Kuma Bamboo) **Envahissante**

40 cm 40 cm

Plante indigène des sous-bois du Japon. Pour les sols pas trop secs. Graminée très décorative avec ses larges feuilles persistantes. Besoin d'une bonne couverture de neige ou d'une protection en hiver. Plante à utiliser seule comme couvre-sol parce qu'une fois établie, elle devient très envahissante.

Schizachyrium scoparium
(Schizachyrium à balais – Little Blue Stem) **Indigène**
(Syn. *Andropogon scoparius*)

30 cm 75 cm 30-40 cm

Plante gracieuse et très robuste. Feuillage vert bleuté prenant une teinte rougeâtre à l'automne. Attrayante lorsque plantée en groupes ou en massifs. Indispensable pour l'aménagement de prairies fleuries. Des sélections avec un feuillage plus rouge ou plus bleu sont offertes dans les pépinières.

Scirpus lacustris subsp. *tabernaemontani* (Scirpe – Bulrush)

90-120 cm 90-120 cm 50 cm

Plante aquatique pour une profondeur d'eau de 15 à 30 cm. Tige tubulaire avec inflorescence au bout. Fleurit en été.

- 'Albescens' : tiges presque blanches.
- 'Zebrinus' : forme panachée horizontalement très décorative.

Sesleria autumnalis (Seslérie – Autumn Moor Grass)

30 cm 45 cm 40 cm

Feuillage vert clair (jaunâtre). Fleuraison pourpre à l'automne. Plante belle et robuste pour la plantation en massifs. Croît bien sous les arbres. Supporte bien la sécheresse.

Sesleria caerulea (Seslérie – Blue Moor Grass)

20 cm | 30 cm | 25 cm

Plante au feuillage bicolore et persistant. Feuille verte sur le dessus et bleutée au dessous. Fleuraison printanière en forme de boutons noirs. Bon couvre-sol, même sous les grands arbres ou les arbustes. Tolère la sécheresse.

Sesleria heufleriana (Seslérie – Blue Green Moor Grass)

30 cm | 30 cm | 30 cm

Feuillage bicolore comme chez *Sesleria caerulea* mais moins bleu et semi-persistant. Fleuraison très tôt au printemps en forme de boutons noirs avec des sacs de pollen blanc bien attrayants. Tolère la sécheresse. Bon couvre-sol.

Sesleria nitida (Seslérie – Gray Moor Grass)

50 cm | 50 cm | 50 cm

Feuillage gris bleuté, semi-persistant. Fleurs en forme de boutons noirs au printemps. Tolère la sécheresse.

Sorghastrum nutans (Faux sorgho penché – Nodding Indian Grass) (Syn. *Chrysopogon nutans*) **Indigène**

150 cm | 180 cm | 75 cm

Graminée importante des grandes prairies (tall grass prairies). Inflorescence à fleurs jaunes à la fin de l'été. Demande un sol fertile et humide. Graminée vigoureuse à utiliser dans la naturalisation, comme écran et comme plante vedette.

- 'Indian Steel' : beau feuillage bleuté, port évasé.
- 'Sioux Blue' : feuillage bleuté, port érigé.

Spartina pectinata
(Spartine pectinée – Prairie Cord Grass) **Envahissante, Indigène**

190 cm | 150 cm | 75 cm

- 'Aureomarginata' : graminée très élégante avec des lignes dorées sur les feuilles. Pour les endroits secs ou humides, et pour le bord de l'eau.

Spodiopogon sibiricus (Spodiopogon de Sibérie – Siberian Graybeard)

100 cm | 150 cm | 50 cm

Graminée droite à croissance verticale. Ressemble à un petit bambou. Coloration d'automne brun pourpre. Pour plantation en isolé, en petits groupes ou comme plante vedette. Très robuste et très décorative.

- 'West Lake' : Hh : 180 cm – D : 75 cm. Croissance plus haute mais moins rigide que *Spodiopogon sibiricus.*

Sporobolus heterolepis
(Sporobole à glumes inégales – Prairie Dropseed) **Indigène**

30 cm | 45 cm | 40 cm

Feuillage très fin, doré à l'automne. Fleurs odoriférantes à l'automne. Graines recherchées par les oiseaux. Utilisée comme couvre-sol et comme plante vedette dans les sols secs. Croissance lente mais une fois établie elle est très durable.

Stipa barbata (Stipe – Feather Grass)

45 cm | 75 cm | 40 cm

La plus spectaculaire des *Stipas.* Feuillage vert grisâtre et inflorescence vert clair brillant. Pousse très lentement et préfère un sol calcaire.

Stipa capillata (Stipe – Feather Grass)

40 cm | 80-100 cm | 40 cm

Feuilles arquées mais rigides. Inflorescence délicate dont la beauté est remarquable sous l'effet du vent. Convient aux endroits secs, entre les roches et pour les jardins terrasses.

Stipa pennata (Stipe – Feather Grass)

	40 cm	80 cm	40 cm

Feuillage semblable à *Stipa capillata*. Long filigrane gracieux rattaché à la graine. Plante très belle quand elle est mise en évidence. Demande un sol sec. S'associe bien à *Iris germanica*.

Stipa pulcherrima 'Wildfeuer' (Stipe – Feather Grass)

	45 cm	100 cm	40 cm

Une des plus belles *Stipas*. Feuillage bleuté et inflorescence délicate. Grain avec une seule chevelure de 30 cm de longueur. Elle s'établit lentement. Utilisation semblable à celle de *Stipa pennata*.

LISTE DES GRAMINÉES PAR CARACTÉRISTIQUES

GRAMINÉES AU FEUILLAGE PERSISTANT

Carex conica 'Marginata'
Carex glauca
Carex morrowii (toutes les variétés)
Carex plantaginea
Festuca scoparia (toutes les variétés)
Luzula nivea
Luzula sylvatica (toutes les variétés)
Sasa veitchii
Sesleria caerulea
Sesleria nitida (feuillage semi-persistant)

GRAMINÉES AU FEUILLAGE PANACHÉ

Acorus calamus 'Variegatum'
Acorus gramineus variegatus 'Ogon'
Arrhenatherum elatius subsp. *bulbosum* 'Variegatum'
Bromus inermis 'Skinner's Gold'
Calamagrostis acutiflora 'Overdam'
Carex conica 'Marginata'
Carex morrowii 'Goldband'
Carex morrowii 'Ice Dance'
Carex morrowii 'Temnolepis'
Carex morrowii 'Variegata'
Carex muskingumensis 'Oehme'
Carex muskingumensis 'Silberstreif'
Carex nigra 'Variegata'
Carex ornithopoda 'Variegata'
Carex siderosticha 'Variegata'
Dactylis glomerata 'Variegata'
Deschampsia caespitosa 'Northern Lights'
Glyceria maxima 'Variegata'
Hakonechloa macra 'Albovariegata'
Hakonechloa macra 'Aureola'
Holcus lanatus 'Variegatus'
Luzula sylvatica 'Marginata'
Miscanthus sinensis 'Dixieland'
Miscanthus sinensis 'Giraffe'
Miscanthus sinensis 'Puenktchen'
Miscanthus sinensis 'Rigoletto'
Miscanthus sinensis 'Strictus'
Miscanthus sinensis 'Variegatus'
Miscanthus sinensis 'Zebrinus'
Molinia caerulea 'Variegata'
Phalaris arundinacea 'Dwarf Garters'
Phalaris arundinacea 'Feesey's Form'
Phalaris arundinacea 'Luteopicta'
Phalaris arundinacea 'Picta'
Phalaris arundinacea 'Tricolor'
Scirpus lacustris subsp. *tabernaemontani* 'Albescens'
Scirpus lacustris subsp. *tabernaemontani* 'Zebrinus'
Spartina pectinata 'Aureomarginata'

GRAMINÉES AU FEUILLAGE DORÉ OU JAUNÂTRE

Alopecurus pratensis 'Variegatus'
Bromus inermis 'Skinner's Gold'
Carex morrowii 'Goldband'
Deschampsia flexuosa 'Tatra'
Hakonechloa macra 'Aureola'
Milium effusum 'Aureum'
Miscanthus sinensis 'Goldfeder'
Phalaris arundinacea 'Luteopicta'
Spartina pectinata 'Aureomarginata'

GRAMINÉES AU FEUILLAGE BLEUTÉ

Andropogon gerardii
Carex glauca
Festuca amethystina (avec ses variétés bleutées)
Festuca cinerea (avec ses variétés bleutées)
Helictotrichon sempervirens
Koeleria glauca
Leymus racemosus
Panicum virgatum 'Cloud Nine'
Panicum virgatum 'Heavy Metal'
Panicum virgatum 'Prairie Sky'
Schizachyrium scoparium (Andropogon scorparius) (formes bleues)
Sesleria caerulea
Sesleria nitida
Sorghastrum nutans 'Indian Steel'
Sorghastrum nutans 'Sioux Blue'

GRAMINÉES AU FEUILLAGE ROUGEÂTRE

Carex buchananii (feuillage brunâtre)
Imperata cylindrica 'Red Baron'
Melica altissima 'Atropurpurea'
Panicum virgatum 'Haense Herms'
Panicum virgatum 'Rotstrahlbusch'
Panicum virgatum 'Shenandoah'

GRAMINÉES AUX INFLORESCENCES ET AUX FRUITS ROUGEÂTRES OU POURPRES

Deschampsia flexuosa (et sa variété 'Mueckenschwarm')
Festuca amethystina 'Superba' (fleuraison pourpre orangé)
Melica altissima 'Atropurpurea'
Miscanthus sinensis, la plupart des variétés mais spécialement :
Miscanthus s. 'Adagio'
Miscanthus s. 'Andante'
Miscanthus s. 'Ferner Osten'

GRAMINÉES AUX INFLORESCENCES ET AUX FRUITS ROUGEÂTRES OU POURPRES (suite)

Miscanthus s. 'Flamingo'
Miscanthus s. 'Goliath'
Miscanthus s. 'Kaskade'
Miscanthus s. 'Malepartus'
Miscanthus s. 'Roter Pfeil'
Miscanthus s. 'Sirene'
Miscanthus s. 'Wetterfahne'
Molinia caerulea 'Moorhexe'
Molinia caerulea 'Overdam'
Panicum virgatum 'Squaw'
Panicum virgatum 'Warrior'
Pennisetum alopecuroides
Sesleria autumnalis
Sesleria caerulea (inflorescence noir)
Sesleria heufleriana (inflorescence noir)
Sesleria nitida (inflorescence noir)

GRAMINÉES AUX INFLORESCENCES JAUNÂTRES ET DORÉS

Deschampsia caespitosa 'Goldgehänge'
Deschampsia caespitosa 'Goldstaub'
Eriophorum vaginatum
Miscanthus sinensis 'Berlin'
Sorghastrum nutans

GRAMINÉES AUX COLORATIONS AUTOMNALES REMARQUABLES

Calamagrostis acutiflora 'Karl Foerster'
Calamagrostis brachytricha
Miscanthus sacchariflorus
Avant de devenir jaune pâle, ces *Miscanthus* prennent une coloration rouge orangé :
Miscanthus purpurascens
Miscanthus s. 'China'
Miscanthus s. 'Ferner Osten'
Miscanthus s. 'Ghana'
Miscanthus s. 'Nippon'
Miscanthus s. 'Roter Pfeil'
Miscanthus s. 'Rotsilber'
Miscanthus s. 'Sioux'
Molinia caerulea (toutes les variétés)
Molinia caerulea subsp. *arundinacea* (toutes les variétés)
Panicum virgatum (toutes les variétés au feuillage rouge et vert)
Pennisetum alopecuroides
Schizachyrium scoparium (Andropogon scorparius)
Sorghastrum nutans (toutes les variétés)
Sporobolus heterolepis
Stipa capillata

LISTE DES GRAMINÉES PAR UTILISATION

GRAMINÉES POUR LES ENDROITS OMBRAGÉS

Arrhenatherum elatius subsp. *bulbosum* 'Variegatum'
Calamagrostis brachytricha
Carex conica 'Marginata'
Carex glauca
Carex grayi
Carex morrowii (toutes les variétés)
Carex nigra
Carex plantaginea
Carex muskingumensis (toutes les variétés)
Carex siderosticha 'Variegata'
Chasmanthium latifolium
Dactylis glomerata 'Variegata'
Deschampsia caespitosa (toutes les variétés)
Deschampsia flexuosa (et sa variété)
Festuca gautieri
Hakonechloa macra (toutes les variétés)
Hierochloa odorata
Hystrix patula
Luzula nivea
Luzula sylvatica
Luzula sylvatica 'Marginata'
Milium effusum 'Aureum'
Molinia caerulea 'Variegata'
Panicum clandestinum
Phalaris arundinacea (toutes les variétés)
Sasa veitchii
Sesleria autumnalis
Sesleria caerulea
Sesleria heufleriana
Sesleria nitida

GRAMINÉES POUR LES ENDROITS OMBRAGÉS ET SECS

Carex brunnescens
Carex communis
Hystrix patula
Luzula nivea
Luzula sylvatica
Phalaris arundinacea (toutes les variétés)
Sesleria autumnalis
Sesleria caerulea
Sesleria heufleriana
Sesleria nitida

GRAMINÉES POUR LES ENDROITS ENSOLEILLÉS ET SECS

Achnatherum calamagrostis
Bouteloua curtipendula
Bouteloua gracilis
Calamagrostis acutiflora 'Karl Foerster'
Deschampsia flexuosa
Festuca (toutes les espèces et variétés)
Helictotrichon sempervirens
Holcus lanatus 'Variegatus'
Koeleria glauca
Leymus racemosus
Melica altissima 'Atropurpurea'
Melica ciliata
Melica transsilvanica
Panicum virgatum (toutes les variétés)
Panicum clandestinum
Phalaris arundinacea (toutes les variétés)
Schizachyrium scoparium (Andropogon scoparius)
Sesleria autumnalis
Sesleria caerulea
Sorghastrum nutans
Spartina pectinata 'Aureomarginata'
Sporobolus heterolepis
Stipa (toutes les espèces)

GRAMINÉES SUPPORTANT OU DEMANDANT UN SOL HUMIDE (mais bien drainé)

Calamagrostis acutiflora 'Karl Foerster'
Carex buchananii
Carex conica 'Marginata'
Carex grayi
Carex muskingumensis
Carex nigra 'Variegata'
Carex siderosticha 'Variegata'
Chasmanthium latifolium
Deschampsia caespitosa (toutes les variétés)
Eriophorum latifolium
Eriophorum vaginatum
Glyceria maxima 'Variegata'
Hierochloa odorata
Hystrix patula
Imperata cylindrica 'Red Baron'
Miscanthus sacchariflorus
Miscanthus purpurascens
Miscanthus sinensis (hybrides de grande taille)
Molinia (toutes les variétés)
Panicum virgatum 'Strictum' (les variétés au feuillage rouge et fruits pourpres)
Phalaris arundinacea (toutes les variétés)
Spartina pectinata 'Aureomarginata'
Glyceria maxima 'Variegata'

GRAMINÉES ET PLANTES GRAMINIFORMES SUPPORTANT UN MILIEU TRÈS HUMIDE ET MARÉCAGEUX

Juncus effusus (et sa variété 'Spiralis')
Juncus inflexus
Phalaris arundinacea (toutes les variétés)
Scirpus lacustris
Scirpus tabernaemontani
Spartina pectinata 'Aureomarginata'

GRAMINÉES SUPPORTANT LES SOLS ARGILEUX

Briza media
Calamagrostis acutiflora 'Karl Foerster'
Deschampsia caespitosa (toutes les variétés)
Glyceria maxima 'Variegata'
Molinia (toutes les variétés)
Panicum virgatum (toutes les variétés)
Phalaris arundinacea (toutes les variétés)
Spartina pectinata 'Aureomarginata'

GRAMINÉES TOLÉRANT MAL DES CONDITIONS SÈCHES

Chasmanthium latifolium
Deschampsia caespitosa (toutes les variétés)
Hakonechloa macra (toutes les variétés)
Imperata cylindrica
Miscanthus sinensis (toutes les variétés panachées)
Molinia caerulea (toutes les variétés)
Pennisetum alopecuroides

GRAMINÉES NAINES ET CROISSANCE EN TOUFFES POUR LES ROCAILLES

Bouteloua gracilis
Carex conica 'Marginata' (pour l'ombre)
Carex morrowii 'Temnolepis' (pour l'ombre)
Carex muskingumensis 'Little Midge'
Carex muskingumensis 'Oehme'
Carex muskingumensis 'Silberstreif'
Carex siderosticha 'Variegata' (pour l'ombre)
Deschampsia flexuosa (toutes les variétés, pour le soleil et l'ombre)
Festuca glauca (toutes les variétés)
Festuca gautieri (semi-ombragé, sec, plantation individuelle)
Festuca gautieri 'Pic Carlit'

GRAMINÉES NAINES ET CROISSANCE EN TOUFFES POUR LES ROCAILLES (suite)

Festuca filiformis
Hakonechloa macra 'Aureola' (pour l'ombre)
Koeleria glauca (endroits secs)
Melica ciliata
Molinia caerulea 'Moorhexe'
Molinia caerulea 'Overdam'
Pennisetum alopecuroides 'Little Bunny'
Sesleria caerulea

GRAMINÉES COUVRE-SOL POUR LES ESPACES ENTRE LES PLANTES PLUS HAUTES, DES VIVACES OU DES ARBUSTES, OU POUR FORMER UN TAPIS VÉGÉTAL : A) POUR LE SOLEIL

Bouteloua curtipendula
Briza media
Carex glauca
Carex muskingumensis
Carex nigra (et sa forme 'Variegata')
Dactylis glomerata 'Variegata'
Deschampsia flexuosa (toutes les variétés)
Festuca amethystina (toutes les variétés)
Festuca filiformis (vert clair)
Festuca glauca (bleuté, toutes les variétés)
Glyceria maxima 'Variegata'
Helictotrichon sempervirens (bleuté)
Holcus lanatus 'Variegatus'
Molinia caerulea 'Moorhexe'
Molinia caerulea 'Overdam'
Molinia caerulea 'Variegata'
Pennisetum alopecuroides
Schizachyrium scoparium (Andropogon scoparius)
Sesleria autumnalis
Sesleria caerulea
Sporobolus heterolepis

B) POUR L'OMBRE

Carex glauca
Carex morrowii (toutes les variétés)
Carex muskingumensis
Carex plantaginea
Festuca gautieri
Luzula nivea
Luzula sylvatica (toutes les variétés)
Panicum clandestinum
Sesleria caerulea
Sesleria heufleriana
Sesleria nitida

GRAMINÉES POUR L'UTILISATION EN MASSIFS POUR DONNER UN EFFET VISUEL À DISTANCE

Andropogon gerardii
Bouteloua curtipendula
Briza media
Calamagrostis acutiflora 'Karl Foerster'
Calamagrostis brachytricha
Chasmanthium latifolium
Deschampsia caespitosa (toutes les variétés)
Miscanthus sacchariflorus
Miscanthus purpurascens
Miscanthus sinensis (toutes les variétés, sauf les variétés panachées)
Molinia caerulea 'Heidebraut'
Molina caerulea arundinacea 'Transparent'
Panicum virgatum (toutes les variétés)
Pennisetum alopecuroides
Phalaris arundinacea (toutes les variétés)
Schizachyrium scoparium (Andropogon scoparius)
Sorghastrum nutans (toutes les variétés)
Spodiopogon sibiricus

GRAMINÉES POUR L'UTILISATION COMME PLANTE VEDETTE OU POUR CRÉER UN POINT FOCAL DANS UN ARRANGEMENT

Andropogon gerardii
Calamagrostis acutiflora 'Karl Foerster'
Calamagrostis arundinacea 'Overdam'
Calamagrostis brachytricha
Carex buchananii
Carex morrowii 'Variegata'
Carex siderosticha 'Variegata'
Chasmanthium latifolium
Deschampsia caespitosa 'Tardiflora'
Hakonechloa macra 'Aureola'
Helictotrichon sempervirens
Hystrix patula
Imperata cylindrica 'Red Baron'
Milium effusum 'Aureum'
Miscanthus purpurascens
Miscanthus sinensis (toutes les variétés)
Molinia caerulea (toutes les variétés, sauf les variétés naines)
Panicum virgatum (toutes les variétés)
Pennisetum alopecuroides
Sorghastrum nutans
Spodiopogon sibiricus
Stipa (toutes les variétés)

GRAMINÉES POUR FORMER UN ÉCRAN OU POUR CRÉER UNE CLÔTURE À NEIGE VÉGÉTALE EFFICACE

Calamagrostis acutiflora 'Karl Foerster'
Miscanthus purpurascens
Miscanthus sacchariflorus
Miscanthus s. : toutes les variétés denses et érigées comme :
- *Miscanthus s.* 'Berlin'
- *Miscanthus s.* 'Goliath'
- *Miscanthus s.* 'Graziella'
- *Miscanthus s.* 'Malepartus'
- *Miscanthus s.* 'November Sunset'
- *Miscanthus s.* 'Positano'
- *Miscanthus s.* 'Roland'
- *Miscanthus s.* 'Silberfeder'
- *Miscanthus s.* 'Sirene'
- *Miscanthus s.* 'Undine'

Panicum virgatum 'Strictum'
Spodiopogon sibiricus

GRAMINÉES ENVAHISSANTES À ÉVITER DANS LES ENDROITS RESTREINTS MAIS RECOMMANDÉES POUR LES GRANDS ESPACES ET POUR LA VÉGÉTALISATION D'ENDROITS DÉNUDÉS

Leymus racemosus
Miscanthus sacchariflorus
Phalaris arundinacea 'Picta'
Phalaris arundinacea 'Feesey's Form'
Spartina pectinata 'Aureomarginata'

GRAMINÉES POUVANT S'ENSEMENCER (ELLES PEUVENT PARFOIS DEVENIR NUISIBLES)

Calamagrostis brachytricha
Carex muskingumensis
Deschampsia caespitosa (toutes les variétés)
Koeleria glauca
Stipa capillata

GLOSSAIRE*

Acutiflora	À fleur pointue.
Aisselle	Intérieur de l'angle aigu que forme la branche avec le rameau, les deux glumelles.
Akène	Fruit sec.
Albumen	Petite masse de substance de réserve d'une graine destinée à être consommée par l'embryon.
Alopecuroides	Semblable à une queue de renard.
Altissima	Très haute.
Amethystina	À couleur d'améthyste.
Amylacé	Qui se rapporte à l'amidon.
Annuelle	Plante dont le cycle vital s'accomplit en une seule année.
Anthère	Partie capsulaire de l'étamine qui renferme le pollen.
Arundinacea	Arundinacée.
Aureus	Doré.
Autumnalis	Floraison d'automne.
Barbata	Barbu.
Bisannuelle	Plante dont le cycle vital s'accomplit en deux ans.
Bourgeon	Méristème au sommet des tiges et à l'aisselle des feuilles, ou naissent les nœuds et entre-nœuds.
Brachytricha	À chevelure courte.

* Marie-Victorin, Frère. *Flore Laurentienne,* Montréal, Presses de l'Université de Montréal, (1964) 1985.

Louis-Marie, P. *Flore. Manuel de la Province de Québec, Canada.* Québec, Coopérative Harpell's Press, Gardenvale, (s.d.).

Zander, R. *Handwörterbuch der Pflanzennamen,* Stuttgart, Ulmer, 1993.

Bractée	Petite feuille qui accompagne les fleurs et qui diffère des autres feuilles par sa forme ou sa couleur.
Buchananii	Nommé d'après John Buchanan.
Bulbe	Bourgeon charnu plus ou moins souterrain.
Bulbosum	Produit des bulbes.
Caerulea	Bleu.
Caespitosa	Qui croît en touffes compactes.
Capillata	À poils très fins.
Chaume	Tige des graminées.
Ciliata	Qui possède des cils.
Clandestinum	Caché.
Conica	En forme de cône.
Corymbe	Inflorescence dans laquelle les axes secondaires partent de points différents sur l'axe et arrivent à peu près à la même hauteur.
Cotyle	Chacune des premières feuilles de l'embryon formées avant la germination de la graine.
Curtipendula	Courtement suspendu.
Cylindrica	En forme de cylindre.
Diaphragme	Cloison transversale qui partage la cavité d'une tige ou d'une feuille.
Effusus	Étalé.
Elatius	Plus haut.
Entre-nœud	Intervalle compris entre deux nœuds consécutifs.
Épi	Inflorescence où des fleurs sont placées sur un axe simple.
Épillet	Petit épi formé par une ou plusieurs fleurs, et portant à la base une ou deux glumes.
Érigé	Disposé verticalement.
Espèce	Sous-groupe du genre, plantes avec des caractéristiques distinctes.
Étamine	Organe mâle de la fleur.
Famille	Groupement botanique des plantes en fonction de leurs caractéristiques.

Filet	Partie inférieure de l'étamine qui supporte l'anthère.
Filiformis	En forme de fil.
Flexuosa	Arqué.
Gaine	Base élargie de la feuille quand elle se prolonge sur la tige et l'enveloppe plus ou moins complètement.
Genre	Sous-groupe d'une famille dans le domaine botanique et regroupement des espèces.
Giganteus	Géant.
Glauca	Vert bleuté.
Glomerata	En forme de pelote.
Glume	Écailles qui servent d'enveloppes extérieures à l'épillet chez les graminées.
Glumelle	Chacune des deux écailles qui forment l'enveloppe extérieure de chaque fleur chez les graminées.
Gracilis	Mince.
Gracillimus	Très mince.
Graminiforme	Qui ont la forme de graminées.
Grappe	Inflorescence formée d'un axe primaire portant des axes secondaires auxquels sont attachées les fleurs.
Grayi	Nommé d'après Asa Gray.
Hampe	Tige partant de la base de la plante et portant des fleurs.
Heterolepis	À glumes inégales.
Heufleriana	Nommé d'après János A. Heuffel.
Incomptum	Simple.
Indigène	Se dit d'une plante qui croît spontanément dans une région sans intervention humaine.
Inermis	Dépourvu d'épines.
Inflexus	Courbé.
Inflorescence	Groupement de fleurs sur une tige.
Lacustris	Des étangs.
Lanatus	Lanifère.
Lancéolé	En forme de lance.
Latifolium	À feuilles larges.

Ligule	Petite membrane située au sommet de la gaine des graminées.
Limbe	Partie élargie d'une feuille.
Macra	Grand.
Marginata	Feuille à marges blanches.
Marginé	Feuille à marges blanches.
Massif	Ensemble de plantes de la même espèce.
Maxima	Très grand.
Media	Qui est au milieu.
Muskingumensis	De Muskingum, États-Unis.
Nigra	Noir.
Nivea	Blanc comme neige.
Nœud	Point d'insertion d'une feuille sur une tige, plus particulièrement lorsque ce point d'insertion est renflé ou articulé.
Nutans	Incliné.
Odorata	Parfum agréable.
Oligostachys	Peu d'épis.
Ombelle	Type d'inflorescence dont les rameaux partent du même point et s'élèvent à la même hauteur en divergeant comme les rayons d'une sphère.
Ovule	Petit organe enfermé dans l'ovaire et qui, après la fécondation, donnera la graine.
Panache	Faisceau de plumes.
Panicule	Type d'inflorescences en grappes dans lesquelles les axes secondaires, plus ou moins ramifiés, décroissent en longueur de la base au sommet.
Patula	Ouvert, saillie.
Pectinata	Semblable à un peigne.
Pédoncule	Support d'une ou de plusieurs fleurs.
Pennata	Emplumé.
Périanthe	Ensemble des enveloppes florales : calice, corolle, etc.
Persistant	Se dit des organes dont la durée sur la plante se prolonge au-delà de la période ordinaire.
Pistil	Organe femelle de la plante.

Plantaginea	À feuilles de plantain.
Plante vedette	Plante qui est placée en un seul spécimen parmi d'autres et qui attire l'attention en raison de sa forme, de sa couleur ou de sa texture.
Point focal	Élément vertical visuellement dominant dans l'espace.
Pollen	Poussière fécondante renfermée dans les loges de l'anthère.
Pollinisation	Transport du pollen sur le stigmate.
Port	Tenue de la plante.
Pulcherrima	Très belle.
Purpurascens	Devient pourpre.
Pratensis	Des prés.
Racinaire	Relatif aux racines de la plante.
Rampant	Tige couchée sur le sol et qui s'y attache au moyen de racines adventives.
Retombant	Pendant, arqué.
Rhizome	Tige souterraine qui peut former des racines et de nouvelles plantes.
Sacchariflorus	Fleurs comme la canne à sucre.
Scoparius	Utilisable pour faire des balais.
Sempervirens	Toujours vivant.
Sibiricus	De Sibérie.
Siderosticha	Portant des points brun rouille.
Sinensis	De Chine.
Spissum	Dense.
Stigmate	Sommet de l'ovaire.
Stolon	Tige horizontale attachée au sol et qui donne naissance à de nouvelles plantes.
Sylvatica	Des forêts.
Tabernaemontani	Semblable aux plantes du genre *Tabernaemontani.*
Taxinomique	Qui fait partie de la classification.
Touffe	Assemblage naturel de feuilles rapprochées par la base.
Traçant	Longuement rampant.
Transsilvanica	De la Transylvanie.

Varia	Différent.
Variegata	Panaché.
Variété	Plante légèrement différente de l'espèce, souvent un hybride (syn. : cultivar).
Veitchii	Nommé d'après John Gould Veitch.
Verticille	Ensemble d'organes rangés en cercle autour d'un axe.
Virgatum	En forme de canne.
Vivace	Plante herbacée ayant un cycle vital de plusieurs années – dans certains cas, de plus de 100 ans.

NOTES

1. Marie-Victorin, Frère. *Flore laurentienne,* Montréal, Presses de l'Université de Montréal, 1985.
2. Guignard, J.-L. *Abrégé de botanique,* Paris, Masson S.A., 1980. p. 92.
3. *Ibid.* p. 92.
4. Deysson, G. *Organisation et classification des plantes vasculaires,* tome 2, Paris, Sedes, 1964, p. 134.
5. *Ibid.* p. 133-134.
6. *Ibid.* p. 134.
7. Marie-Victorin, F. *Op. cit.*
8. Deysson, G. *Op. cit.* p. 136.
9. Guignard, J.-L. *Op. cit.* p. 95.
10. Marie-Victorin, F. *Op. cit.*

BIBLIOGRAPHIE

BROWN, M. J. *Leaves,* Vermont, Trafalgar Square Publishing, 1989.

BLUEMEL, Kurt, *2000 Holesale Nursery Catalog**, Baldwin (Maryland), Kurt Bluemel Inc., 2000.

CLARKE, S. E. et J. A. CAMPBELL. *L'identification par leurs caractères végétatifs de certaines graminées indigènes et naturalisées,* Canada, Ministère de l'Agriculture, 1946.

COLLECTIF, *Botanica,* Cologne, Könemann, Verlagsgesellschaft mbH, 1999.

DARKE, Rick. *The Color Encyclopaedia of Ornamental Grasses**, Portland (Oregon), Timber Press, 1999.

DEYSSON, Guy. *Organisation et classification des plantes vasculaires,* tome 2, Paris, Sedes, 1964.

FOERSTER, Karl. *Einzug der Gräser und Farne in die Gärten**, Berlin, Verlag J. Neumann-Neudamm, 1978.

GREENLEE, J. et D. FELL. *The Encyclopaedia of Ornamental Grasses,* Emmaus (Pennsylvania), Rodale Press, 1992.

GUIGNARD, J.-L. *Abrégé de botanique***, Paris, Masson S.A., 1980.

GROUNDS, Roger. *Ornamental Grasses**, Kent, Christopher Helm Ltd, 1989.

JELITTO, L. et W. SCHACHT. *Hardy Herbaceous Perennials,* Portland (Oregon), Timber Press, 1990.

KING, M. et P. OUDOLF, *Gardening with Grasses,* Portland (Oregon), Timber Press, 1998.

LOEWER, H. P. *Growing and Decorating with Grasses,* Toronto, Fitzhenry & Whiteside, 1977.

LOUIS-MARIE, P. *Flore. Manuel de la Province de Québec, Canada,* Coopérative Harpell's Press, Gardenvale, Qc. (s. d.).

LOVEJOY, Ann. « The Mixed Border Graceful Grasses », *Horticulture,* octobre 1991, pp. 44-49.

OAKS, A. J. *Ornamental Grasses and Grasslike Plants,* New York, AVI Book, 1990.

OEHME, Sweden Frey. *Bold Romantic Gardens,* Reston (Virginia), Acropolis Books, 1990.

OEHMICHEN, F. « Les graminées ornementales. Pourquoi pas ? », *Archi-Pays,* Vol. 5, nº 3, 1984, pp. 42-43.

REINHARDT, T. A., M. REINHARDT et M. MOSKOWITZ. *Ornamental Grass Gardening,* Los Angeles (California), HP Books, 1989.

TAYLOR, Norman *et al. Taylors Guide to Ground Cover, Vines & Grasses,* Boston (Massachusetts), Houghton Mifflin Company, 1986.

MARIE-VICTORIN, Frère, *Flore Laurentienne,* Montréal, Presses de l'Université de Montréal, (1964), 1985.

ZANDER, R. *Handwörterbuch der Pflanzennamen,* Stuttgart, Ulmer, 1993.

ZINKERNAGEL, Gisela. *La beauté des graminées,* Paris, Éditions Eugen Ulmer, 1995.

*Sources pour l'élaboration du répertoire.

** Source pour l'élaboration du chapitre « Qu'est-ce qu'une graminée ? »

INDEX

TABLE DES MATIÈRES

Achevé d'imprimer au Canada
sur papier Jenson 160 M
sur les presses de l'imprimerie Interglobe Inc.